JN000287

THE BUILDING BLOCKS

ビルディングブロック式
セールスイネーブルメント

営業パフォーマンスを
劇的に変える実践的戦略

原作：マイク・カンクル
訳・監修：amptalk株式会社 猪瀬竜馬

幻冬舎MC

THE BUILDING BLOCKS

ビルディングブロック式セールスイネーブルメント

営業パフォーマンスを劇的に変える実践的戦略

目次

監修者まえがき

私は日系の大企業で営業としてキャリアをスタートしました。元々、知らない人と話すのはそんなに得意ではなかったにもかかわらず、やればやるほど営業の楽しさや奥深さにはまっていきました。それは「他の人が知らないことを伝えて説得して喜んでいただく」「数字という明確な結果で社内外の人と競争できる」といった要素が新卒の自分にはとても心地よく、成長を実感する感覚を持てたからです。

私の最も尊敬する営業は、半年間見込み顧客の通勤を待ち続け、挨拶を無視され続けながらも通い続けた当時の先輩です。その方は、何も答えがない中でも挨拶をすれば、いつか道が開けると己を信じて挨拶をし続け、見事に半年後の朝、いきなり近寄ってきたお客さんに「あなたの会社の製品に全て変えた」と言わせて大口顧客を制しました。「気合いと根性」と言えばそれまでなのですが、意外にも営業（あるいは全ての職種）においてとても大事な要素だと思っていましたし、今でもそう思っています。

ただ、このような先輩の背中を追いながら自身も営業活動をしていく中で、売れている人と売れていない人の差はなんなのか？という問いに常につきまとわれていました。「営業を科学する」というようなことが言われ続けて数十年経つものの、SFA（セールスフォースオートメーション）やMA（マーケティングオートメーション）、またオンライン商談やインサイドセールスの普及くらいしか大きな変化はなく、顧客と相対している営業の行動の中身は特に変化などはないように思います。

そのようなモヤモヤを抱えたまま、米国で勤務し、そこで初めて「セールスイネーブルメント」という言葉と出会いました。当時、タブレットに営業コンテンツを入れられるようなツールがブームであり、私がいた会社でも導入しました。そのツールがセールスイネーブルメントツールを自称していたこともあり、初めて聞くその言葉をさんざん調べ、その結果、「よくわからない」という結論に至ったのはよく覚えています。

「セールスイネーブルメント」の定義を調べると、色々な会社が複雑な説明をしていて、シンプルなものが好きな私にとって理想的な答えは見つけられませんでした。結果として、「属人化をなくして、皆が売れる営業になるためにトレーニングをすること」程度の言語化に留まっておりました。

帰国後、電話・商談解析ツール「アンプトーク」をご提供することになり、よりセールスイネーブルメントという世界に足を踏み入れたことと、純粋な知識欲からあらゆることを調べてたどり着いた結論は、〝複雑な営業組織の問題を解いていくのに、シンプルな説明など不可能である〟ということでした。

そもそも人間の深い心情や欲求が絡み合っていたり、営業も顧客も関わる人物が多い場合がある上に定量化しにくい変数が多く、それらを紐解いてシステムで解決しようということ自体、一言で説明できるはずがありません。

本文にも一部出てきますが、製造やエンジニアリングのプロセスの考え方を営業に当てはめてみようという発想から始まり、変数の多い営業組織の課題を極力わかりやすく分解してシステム思考で解決していくのがセールスイネーブルメントなのです。

冒頭で述べたような一見「気合いと根性」だけに見える営業の行動も実は、セールスイネーブルメントの領域では「営業メソッド」や「営業プロセス」といった本書のブロックで説明可能な内容です。こうしたことを理解していくと、この概念が完全にインストールされれば、営業を科学する未来が作れるかもしれないという感覚になることができます。

セールスイネーブルメントは北米からきた概念であり、英語での情報はとても多いです。数多くの書籍がある中で、Mike Kunkle のビルディングブロック式セールスイネーブルメントは、彼の長年のノウハウが詰め込まれ、それでいてシンプルにまとまっています。

セールスイネーブルメントは、日本ではトレーニングやスキルアップの手段としてよく認識されていますが、この本を通じて知識のギャップが少しでも埋まり、セールスイネーブルメントの概念が日本でより広く理解されることを願っています。それにより、日本の営業生産性が向上し、商談が増え、優れた製品やサービスが市場に広がることで、日本経済に大きな影響を与えることができると思います。多くの方にこの本を読んでいただければ嬉しいです。

営業リーダーに向けた序文

——デイヴィッド・ブロック

約1年前、『セールスイネーブルメントのビルディングブロック』という本を書いているのだと話すマイク・カンクルから、営業リーダー向けに序文を書いてほしいと依頼された。私は深く考えずに承諾した。そして今、メールの受信箱に本の草稿が届き、マイクから約束を果たしてくれと要請を受けている。

正直なところ、比較的ページ数が少ない本でマイクがこれほど多くのトピックをカバーしていることには驚かされた。もし私が同じ内容を紹介しようとしたら、『ブリタニカ百科事典』よりもはるかに分厚い本ができあがるだろう。

とはいえ、読んだ内容を振り返ったところ、単一の読者向けに序文は書けないと気付いた。前線の営業マネージャーは特定の目標や思惑を抱いて本書を読むだろうし、営業を管轄するエグゼクティブ、

ＣＲＯ（最高収益責任者）、営業チームのリーダーは少し異なる観点から読むだろう。また、営業組織には他にもリーダーが存在する。セールスイネーブルメント組織の指導者などだ（幸いなことに、そちらを対象とした序文を友人のタマラ・シェンクが書いている）。

だから、この序文では2種類の営業リーダーについて触れよう。前線のマネージャーと営業のエグゼクティブだ。

前線の営業マネージャー

チームの各メンバーのパフォーマンスを最大化するにあたり、セールスイネーブルメントはあなたにとって最も重要なパートナーとなりうる。顧客【訳註：以下、顧客になる前の見込み顧客も含む】とのビジネスを遂行するために必要不可欠なリソースを提供してくれる。あなたの役割は、チームの各営業担当者がこれらのリソースを最大限活用できるようサポートすることだ。そのために自社の他のリソースを活用して、コーチングや育成を行う。

マイクが営業マネージャーをサポートするために行っている事柄のうち、最も重要なもののひとつは、各部が集まって影響力の高い営業を実現する仕組みの説明だ。私たちはシステムの観点から、営業パフォーマンスに影響を与えるすべての事象を眺める必要がある。それらがどのように関連しているか、どのように「システム」を用いればパフォーマンスを改善して成功を実現できるかを確認しなければならない。マイクのフレームワークを使用して一連の完全なツール、プロセス、プログラムについて検討すれば、パフォーマンスに最も良い影響を与えるものを活用できるようになる。

前線の営業マネージャーは、セールスイネーブルメントチームに提供できるフレームワークを持っているはずだ。新しい物事を吸収して自分およびチームの営業担当者たちが目標を達成できるようにするためのフレームワークである。セールスイネーブルメントは、リーダーとしての成長を支えるプログラムとツールも提供してくれる。セールスイネーブルメントチームと強固な関係性を築き、適宜活用して自分とチームの数字を達成しよう！

営業のエグゼクティブ

あなたは顧客を前にして自社の戦略を実行し、組織のパフォーマンスを最大化する責任を担っている。マイクがこの本で説明しているフレームワークを使用すれば、組織が必要とするすべての基盤について理解できる。

営業パフォーマンスの最大化とは「すべての仕事」を行うことだ。多くのリーダーと組織がこの事実に気付かず失敗している。事実に目を向けず、過去にやってきたことを何も考えずに続けているのだ。マイクのフレームワークを使用すると、営業システムの各部の関係性を理解できるようになる。注力すべきポイント、つまりパフォーマンスに最大の影響を与える事柄が強調されているから、やるべきだができていなかったことを特定できる。このフレームワークは、組織が効果的かつ効率的に目標を達成し、収益を向上する方法に関する包括的な視点を提供してくれる。

何かがうまくいっているとき、私たちは細かい点に注意を払わないものだ。ただ現状を維持しようとする。難しいのは、想定ほどうまくいっていないとき何をするべきかについて考えることだ。市場でディスラプションが起こったとき、どうすればいいだろうか？　パフォーマンスを調整、対応、促進するには、どこから始めればいいだろうか？　本書はこうした課題の特定、対処を行うにあたって必要となるツールを提供してくれる。どこから始めるべきか、見落としていることは何か、最も影響が大きいのは何かがわかる。

あらゆるレベルの営業リーダーにとって『セールスイネーブルメントのビルディングブロック』はタイトルが示すとおり頼もしい1冊だ。営業パフォーマンスの最大化に欠かせないシステム、プロセス、ツール、プログラム、トレーニングを包括的に把握できる。それらがどう関連しているか、どこに注力すればパフォーマンスの課題を解決できるかを理解できるようになる。組織およびチームの各メンバーの可能性を拡大するにあたり、常に手元に置いてたびたび立ち戻るべき本である。

セールスイネーブルメントリーダーに向けた序文

――タマラ・シェンク

イネーブルメントの世界は狭いが、この分野に関する真の知識、情熱、努力、ビジョンは永遠に色褪せない。マイクと私はまずオンラインで出会い、その後2012年にフェニックスで開催されたフォレスターのセールスイネーブルメント会議でオフラインでの初対面を果たした。その会議で、マイク、共通の友人でありもうひとつの序文を書いたデイヴィッド・ブロック、そして私の3人は、セールスイネーブルメントに対する情熱に裏打ちされた友情を結んだ。

私たちがすぐさま意気投合したのはセールスイネーブルメントに対するマイクの包括的なアプローチや、システムに関する考え、野心的なフレームワークの提供を通じてである（本書が『フレームワークは重要である』というタイトルだったとしても驚かないほど）。

私たちはよく、「タマラにはダイヤモンドがあるけれど、マイクにはビルディングブロックがある」と冗談を言った（私が執筆したセールスイネーブルメントに関する本【訳注：『営業力を強化する世界最新のプラットフォーム　セールス・イネーブルメント』（バイロン・マシューズ、タマラ・シェンク著、富士ゼロックス総合研究所監訳、ユナイテッド・ブックス（きこ書房）、2019年1月）】はダイヤモンドフレームワークをもとにしている）が、先日マイクと会話したとおり、マイクのビルディングブロックには実際にダイヤモンドと同じ価値がある。イネーブルメント実践者やリーダーがどのフレームワークを選ぶにしても、最も重要なのはまず包括的なフレームワークを用いることだ。

フレームワークは重要である。イネーブルメントリーダーとしてのあなたの仕事に対する基準座標系となる。フレームワークは必要な次元を損なうことなく、現実をまとめて簡素化して見せてくれる。だからこそ違いが生まれる。イネーブルメントの成功に近道はない。セールスレディネスとセールスエンゲージメント、顧客とそのジャーニー、営業マネージャー、営業プロセス、メソッドなど、すべての次元に対処できる戦略的、フォーマル、包括的な方法で設定する必要があるのだ。

すべての関連する次元ではなく、大袈裟なまでに簡素化された現実しか示さない「成功への3段階」モデル（これはフレームワークではない）は有用ではない。仕事においては意味をなさない結果が生まれるだけだ。いくつかの活動を導入できたとしても、営業パフォーマンスは向上しないだろう。

なぜなのだろう？　包括的で完全なフレームワークが必要不可欠なのは、そうしたフレームワークを使用するとそれらの原理と概念を特定の状況において適用し、必要に応じて調整できるからだ。

ＣＳＯインサイトでリサーチディレクターとして勤務していたとき、私はこの企業が行った５つの世界的なイネーブルメント調査から多くを学んだ。たとえば、シニアエグゼクティブの期待値に応えたり、イネーブルメント戦略を営業戦略につなげたりしないままイネーブルメントの活動を実装しても、イネーブルメントの取り組みがビジネスにプラスの影響を与えたと示すことはできない。また、イネーブルメントチームの50％以上が、イネーブルメントに投資しているにもかかわらずプラスの結果を生み出せていないこともわかった。

好景気であれば気付かれにくいことだ。だが、世界的なパンデミックに見舞われて以来、これは好ましい状況ではない。パンデミックが経済に多大な悪影響を与える中、真実が浮上し、多くのイネーブルメント実践者が仕事を失った。ＣＦＯ（最高財務責任者）が「ＣＦＮｏ（ノーしか言わないＣＦＯ）」に変わるような状況なのだ。

経済が復旧しつつある現在、イネーブルメントの重要性は明らかに増している。もし正しく戦略的かつ包括的に設定できれば、２０２０年代はイネーブルメントの10年となるかもしれない！　イネーブルメントはこの新たな顧客中心型かつリモートが優先される世界で、営業力とカスタマーサクセスを促進するだろう。

私たちが多くの時間を在宅勤務に充てるようになったから、営業における課題が変化したわけではない。基本的な営業スキル不足を取り囲む既存の課題が、在宅勤務によって、増幅しただけなのだ。営業パーソンに、対面会議でうまく営業を行うスキルがまったく備わっていない場合、見込み客や顧客とリモートでエンゲージメントすることはもっと難しいだろう。

また、この10年をイネーブルメントの10年にするには、しっかり練られた施策が必要だ。幸運なことに本書では検討すべきあらゆることをカバーする包括的なフレームワークが紹介されている。

このフレームワークを自社の環境で導入するには、クリティカルシンキング、クリエイティブシンキング、システム思考が必要だ。今まで以上にAIを活用するようになる世界では論理的に考え、推論に疑問を抱き、3次元以上で想像できることがますます重要となりつつある。インテリジェントツールが有効性を向上するというのは素晴らしいことだ。だが、真に成功を実現できるリーダーとなるには、自分たちが主人(マスター)であり続けなければいけない。ツールは従者でしかない。この能力を実現し、推奨される環境をつくれば、それは確固としたクリエイティブシンキングとシステム思考の土台となり、ペースの早い複雑な世界で違いを生むことができるようになる。

この本を読んで、私がビルディングブロックの導入を推奨する理由は5つある。

1　セールスイネーブルメントとその成熟度レベルに対する包括的かつ戦略的なアプローチは、本書の基盤であり、成功の前提条件でもある。イネーブルメントとは部門を超えた活動なので、複数の部門（マーケティング、プロダクト、L&D、さまざまな運用チーム、カスタマーサクセス、IT部門など）を効果的にリードする必要がある。また、将来の成功に関する共通のビジョンも必要だ。さまざまな段階および成熟度レベルにおいてビジョンを生み、維持し、導入しなければならない。マイクのビルディングブロックを使用すればそれができる。

2 **ビルディングブロックは顧客志向の観点を備えている**。私の仕事内容を知っている人なら、私が常に顧客中心型アプローチに注力してきたことを知っているはずだ。顧客とやりとりする職業の人がイネーブルメントの取り組みに含まれていて、顧客のジャーニーのあらゆる段階で効果を発揮できるよう努めてきた。マイクのビルディングブロックも同様で、顧客理解やバイヤーエンゲージメントコンテンツを起点としている。

3 **コンテンツとはマーケティングコンテンツのみにあらず**。コンテンツといえば、マイクの取り組みについて好ましいことがもうひとつある。ただの「マーケティングコンテンツ」など存在しないという信念だ。マーケティングコンテンツの代わりに、バイヤーエンゲージメントコンテンツ（どちらも顧客対面型）とセールスレディネスコンテンツおよび営業サポートコンテンツ（社内コンテンツカテゴリー）があると説明している。拙著でもこれについて指摘したが、マイクはこの区別をさらに明確化している。各コンテンツカテゴリーが異なる目的を持つのだから、それぞれを理解し、対処することは必要不可欠だ。

4 **営業コーチングと営業マネージャーイネーブルメントはフレームワークに欠かせない**。これもマイクと私がお互いを啓蒙している分野だ。最良のイネーブルメントの取り組みには必ず、導入と浸透を促進する営業コーチングが含まれる。その際、イネーブルメントリーダーは営業のリーダーや営業マネージャーと初期段階から連携する必要がある。理想的なのは営業マネージャーのオンボーディングとレディネスサービスにおいて特定の筋道を立てておくこと。営業マネージャーがコーチングをまったく行わないか、イネーブルメントの施策と連携していない場合、施策全体が危機に陥る。調和に向けた取り組みにおいて、さらに別の役割を加えなければならなくなったとしても、その価値は間違いなくあるのだ。

5 **プロセスとメソッドが基盤となる**。最後になったがこれも大切なことだ。マイクのフレームワークは営業プロセスとメソッドを公式に実装している。もちろん営業プロセスはカスタマージャーニーと連携していて、営業メソッドは営業シナリオに沿った適切なものだ。

どれもシンプルだし当たり前のことだと感じるかもしれない。だが、アナリスト兼コンサルタントとして長年働いてきた経験からこう断言する。これはシンプルでも当たり前でもない。適切なメソッドを用いて営業プロセスを公式に、あるいはその都度適用して実装するというのは非常に難しいことだ。それでも、この基盤は必要不可欠である。イネーブルメントの取り組みは孤立して存在し得ないからだ。完璧に設計された堅固な顧客と営業のジャーニーのフレームワークは、あらゆるイネーブルメントおよび営業の成功に必要不可欠だ。マイクのビルディングブロックは、そのフレームワークを実現するための優れたアプローチである。

はじめに

「セールスイネーブルメント」がどうしてここまで人気になったのか？

２０１９年、セールスイネーブルメント業界では職種に「セールスイネーブルメント」とつく人の数が1万人を超えた（ポール・クライェフスキが継続して行っているリンクトインでの肩書調査による。彼が作成したグラフによると、過去数年においてセールスイネーブルメント職種に就いた人の数は急増している）。つまり、セールスイネーブルメントはついに「注目の的」となったのだ（少なくとも一部の業界においては）。まるで、何年もコツコツと何かを作り続けてきた人々の人気が突然沸騰し、「一夜にして成功した」と言われるようになる現象を彷彿とさせる。

ところで、セールスイネーブルメントとは何を意味するのだろう。本質的には効果的に営業チームをサポートする方法にまつわる役割（または部署）、役職、増え続ける知識体系である。面白いことに、「セールスイネーブルメント」という言葉こそ使わなかったものの、私は何年にもわたりこの仕事に携わってきた。そして、同じ道のりを辿ってきた初期のセールスイネーブルメント実践者を何人も知っている。少なくとも1991年には、私は次のような仕事をしていた。

- メッセージ、コンテンツ、キャンペーン、プロモーションに関してマーケティング部門と協業する
- 人事や給与を管轄するリーダーと連携して、給与制度やインセンティブが望ましい営業の行動および成果を生んでいることを確認する
- （多くの場合企業のトレーニングリーダーと組んで）トレーニングを設計、実行する。これには新入社員の育成時間を短縮し、生産性を改善する営業のオンボーディングプログラムの構築も含まれる
- 営業プロセスと営業メソッドの両方を教える
- ジョブエイド【訳注：作業の指示や進め方が記載されているチェックリストなどの資料】と営業ツールを構築する
- 時代に応じたテクノロジーを使用する
- トレーニングと施策の評価を実施して、取り組み内容の有用性や投資対効果を確認する
- 前線の営業マネージャーのトレーニングとエンゲージメントを行ってトレーニング内容を浸透させ

る。そして営業担当者が内容を体得するまでコーチングを実施することによってそれを補強する聞いたことがある取り組みばかりのはずだ。しかし、セールスイネーブルメントにはこれらの活動が含まれることが多々あるとはいえ、この職種を表す一般的な定義はまだ存在しない。

複数のアナリストが研究、報告、顧問業務においてセールスイネーブルメントを取り扱うだけでなく、定義も試みている。ただし、その定義は人によって異なる。この本の執筆と定義の収集を始めた後に、フォレスターがシリウス・ディシジョンズを、コーン・フェリーがCSOインサイトを、そしてガートナーがTOPOを買収したため、定義の数自体は減少したのだが、含まれる内容にはまだかなり幅がある。現時点でのセールスイネーブルメントの定義を組織別にいくつか紹介しよう。

- **ガートナー**：セールスイネーブルメントは、営業チームがより効果的に活動できるように必要なリソースを提供し、より多くの案件をクローズさせるためのプロセスである。リソースには製品やサービスを顧客に販売するためのツール、テクノロジー、トレーニング、コンテンツ、または実行可能な戦略が含まれる。高いパフォーマンスを発揮するセールスイネーブルメントチームはある種のリソースやサポートツールを提供し、営業プロセスを簡素化して営業担当者にかかる負担を軽減する。これにより商談の受注率が増加する。
- **フォレスター**：セールスイネーブルメントの目的は、営業がスキル、知識、アセット、プロセスに関する専門知識を得て、すべての顧客とのやりとりを最大化できるようにすることである。

・**セールス・イネーブルメント・ソサエティ**：セールスイネーブルメントを実施すると、十分な訓練を受けた上で顧客に対応する従業員は、適切なタイミングおよび場所で適切なアセットを使用して顧客と関与し、カスタマージャーニーに沿って世界水準のエクスペリエンスを提供できるようになる。適切な営業マネジメントとパフォーマンスマネジメントのテクノロジーを活用するとともに組織全体の連携を強化するセールスイネーブルメントは、営業活動を最大化し、パイプラインの拡大、商談の推進、大型案件のより効率的な受注を実現して、利益ある成長を促進する。

・**アソシエーション・フォー・タレント・デベロップメント**：セールスイネーブルメントの目標は、バイヤージャーニー全体を通じて、継続的かつ戦略的なリソースを提供することによりビジネスに対するプラスの影響を創出し、市場に対応するチームの生産性を増加させることだ。これには営業トレーニング、コーチング、コンテンツ作成、プロセス改善、人材育成、給与などが含まれる。

読んでいるだけでクラクラしてくるはずだ。

セールスイネーブルメントの実践者と話してみても、定義の幅は前述と同じように広い。ただし、広義で見た場合、多くの関係者がセールスイネーブルメントの現状として、次が含まれると考えている。

・営業に対するメッセージ

・次の2つを目的としたセールスコンテンツ

　○顧客を惹きつけ、興味関心を生む

○購買プロセス全体を通じて顧客の質問に答える

- 営業トレーニングおよび補足資料と要素
- セールステックとツール

ではもう少し掘り下げてみよう。セールスコンテンツとは何を指すのだろうか。少なくとも4種類のコンテンツが存在する。

- **マーケティングコンテンツ**：対象となる顧客のペルソナ【訳注：架空の顧客やユーザーのこと。ペルソナを設定することで顧客やユーザーのニーズを把握できるようになる】を（インバウンドマーケティングを介して）企業やウェブサイトに惹きつけるため、マーケティングチームが作成したコンテンツ。
- **バイヤー（顧客）エンゲージメントコンテンツ**：これには2種類ある。

○1つ目はマーケティングコンテンツ同様、マーケティングチームが作成したもの。営業担当者がアウトバウンドのプロスペクティング（案件発掘）を行う際、顧客の興味や関心を高め、反応を引き出すために使用する。

○2つ目は、一般的な顧客のペルソナによる購買プロセスの完了条件を満たすため作成されたコンテンツ。プロセス全体を通じて顧客の質問に答え、企業、製品、サービスについて知っておくべき内容を明確化することで顧客との関係を深め、効果的な意思決定をサポートする。

- **トレーニングコンテンツ**：営業チームのトレーニングに使用されるコンテンツ。新人の営業担当者、現任の営業担当者、前線の営業マネージャーなどが対象。トレーニングコンテンツには営業担当者やマネージャーが成果を上げるために理解および実行しなければならないすべての事柄（製品知識、顧客理解、ビジネスの理解、営業プロセス、営業メソッドなど）が含まれる。

・**営業サポートコンテンツ**：営業担当者が（営業プロセスと営業メソッドを駆使して）経営層の狙いどおりの営業を行うことをサポートするプレイブック、資料、ジョブエイド、早見表、ツールなど。

以上が、セールスイネーブルメント職種に就く多くの人が考えるセールスイネーブルメントの内容だ。つまり、これらはセールスイネーブルメントが担う役割を進化させ、真に営業組織をサポートすることを考える際の出発点でもある。

多様なアナリストの定義やセールスイネーブルメント実践者の観点に加え、異なる組織が異なる方法でセールスイネーブルメントを実施している。そうした組織の多くが、セールスイネーブルメントには成熟度モデルがあることに気付きつつある。アナリストの定義と同じく、成熟度にも複数のモデルが存在するが、表Ｉ－１では私の見方を紹介する。

表Ⅰ－1
セールスイネーブルメントの成熟度モデル

成熟度	説明
なし	・「何も手を出さず、営業に任せる」(SPARXiQのデイヴィッド・ボーダーズの言葉) ・取り組みがなく、営業パフォーマンスに対する影響もない
ランダム	・問題が起きてから対応する無作為なセールスイネーブルメント ・その場しのぎ ・「目を引くが実際にはどうでもいい事象」に気を取られる ・運がよかった場合を除き、営業パフォーマンスに影響を与えることはない
インフォーマル(非公式)	・ある程度構造的だが戦略的、体系的ではなく拡張性がない ・まだまだ問題が起きてから対応する形 ・部分的にデータに基づく ・営業パフォーマンスに対する影響は限定的
フォーマル(公式)	・セールスイネーブルメントのビルディングブロック(構成要素)がきちんと定義されている ・部門間連携ができている ・戦略的、構造的、体系的、拡張可能、測定可能 ・データに基づく ・営業パフォーマンスに多大な影響を与える
アダプティブ(適応型)	・成熟度レベルはフォーマルで、パフォーマンスコンサルティングが実践されている ・データに基づく診断ベースの取り組みによって、営業パフォーマンスの改善に継続的に注力している

この本を最大限活用する方法

ここまで読んできた読者にとっては、この本の必要性が明らかとなっているはずだ。セールスイネーブルメント職種の人々によるセールスイネーブルメントの定義方法は多様で、私たちはさまざまな成熟度レベルにおいてこの仕事を推進している（が、成熟度が低い場合はビジネスの成果が得られない場合もある）。また、多くの実践者の共通認識であるセールスイネーブルメントの基本はあまりに基礎的すぎて、これだけでは組織のパフォーマンスの改善はみられない。さらに困ったことに、最もシンプルな次元でも「コンテンツ」という言葉には複数の意味がある。

本書を書いた目的は、シニア営業やセールスイネーブルメントのリーダーたちが効果的にセールスイネーブルメントの役割を開始または進化させ、ビジネスの成果につなげられるようにすることだ。だが、執筆は容易ではなかった。その理由はいくつかある。

私はつい最近この分野の仕事を始めたわけではない。1991年にはすでにセールスイネーブルメントに従事していたため、多様な組織でのさまざまな経験があり、複数のフレームワークやモデル、システムを開発して成功を収めてきた。約30年にわたる仕事の内容を、他者が身につけ使用できるように取り込んで体系化するのは、それ自体が困難だった。胸躍る作業ではあったが難しいのに変わりはない。

営業の役割とは、より大きな組織の環境内に存在するエコシステムであり、組織、役割、職務、タスクそれぞれのレベルでパフォーマンスを向上させるための手段が存在する。つまり、企業、部署、役職レベルで連携し、パフォーマンスを改善する機会があるということだ。そのため私はセールスイネーブルメントと営業力改善のためのパフォーマンスのてこを支えるシステムアプローチを考案した。システムの仕組みに関する興味深いジレンマは、それがバラバラの部分の集合であり、より大きな全体に統合される、ということだ（統合がうまくいった場合、その全体は部分の集合より優れたものとなる）。私が考案したセールスイネーブルメントのビルディングブロックは4つの営業システムに支えられているのだが、ビルディングブロックやシステムの常として、重複する部分もある。

ブロックとシステムの相互作用について説明するのは難しい。たとえば、セールスイネーブルメントのテクノロジーが営業をサポートする方法は、セールステックのビルディングブロックに関する章で説明するべきだろうか。それとも、セールステックがどのように「営業熟達と行動変容の5段階」を支えているかについて紹介する「営業トレーニングシステム」の章で説明するべきだろうか。バイヤーエンゲージメントコンテンツの詳細は、「セールスレディネス（営業担当者の準備状況）システム」で紹介すべきだろうか、それとも関連するビルディングブロックの章で紹介すべきだろうか。

最終的には次のとおりとした。詳細と最も深く掘り下げたコンテンツは、可能な限りビルディングブロックの章で紹介する。そして、4つのシステム（営業の採用、セールスレディネス、営業トレーニング、営業マネジメント）はできるだけビルディングブロックに沿った形で説明する。フレームワーク、コラボレーション、コミュニケーションの実践はすべてこれらのシステムと密接に関わっている。

- ビルディングブロックはフレームワークだ。営業チームが最大限の力を発揮して行動する際に必要となる要素である。
- ビルディングブロックを支えるのは、部門を超えたコラボレーションとコミュニケーションの実践だ。
- システムもまた、ビルディングブロックを支える。構築されたシステムを通じてビルディングブロックを適用できる。

システムを紹介するにあたっては、次を心がけた。

- 参照できるように、詳しい説明が記載されているビルディングブロックの章を記載する（可能な場合）。
- ビルディングブロックの章と直接的な関係がない場合は、システムのセクションでコンテンツの詳細について説明する。

詳細に関しては他の章を参照するよう繰り返し記載されているので、実際に本書を読み進むにつれて理解してもらえるはずだ。いくつもの箇所で詳細に触れるよりわかりやすいのではないかと考えた。ビルディングブロック間にも重複が存在するため（購買プロセスと営業プロセスなど）、こうした章でも参照を記載している場合がある。

最後に他の章よりずっと短い章もあれば、詳しく説明している章もある。これには論理的な理由がある。どのビルディングブロックも重要なことに変わりはないが、他よりも複雑で、より多くの説明が求められるブロックが存在するのだ。たとえば、優れた営業プレイブックの設計、使いやすいジョブエイドの作成、またはワークフローパフォーマンスサポートソフトウェアのカスタマイズといった行為は緻密な作業で、営業サポートコンテンツのビルディングブロックの成功に必要不可欠だが、概念の紹介はわりと単純だし、本書はこうした事象すべての完全ガイドを目指してはいない。一方、営業熟達と行動変容の5段階および各要素の原理が埋め込まれた「営業トレーニングシステム」の各段階を紹介するなら、より詳細な情報が必要である。

また、営業チームが効果的な営業を実施できるようにするには複数の部門やチームの協力が必要となるため、高い成果を生み出すセールスイネーブルメントのリーダーはしばしば別の部門や役割を管轄するリーダーと連携する。通常セールスイネーブルメントが担当するビルディングブロックと、別の部門が詳細のタスクを実施するビルディングブロックについては、より詳しい説明を試みた。

営業リーダーへのメッセージ

まず、デイヴィッド・ブロックによる序文を読んでほしい。営業リーダーの観点から本書について明察しているからだ。また、この本の活用方法をいくつか挙げる。

まず、解決しようとしている問題から始めよう（目次から、比較的簡単に関連する章を見つけ出せるはずだ）。

・新しい営業メソッドを導入している段階だが、なかなか定着しない
・営業担当者が提供するコンテンツに対する顧客の反応が芳しくない
・営業担当者の活動が製品の売り込みにとどまり、顧客中心型かつ問題解決型の案件発掘アプローチを活用できていない

あなたは自社でセールスイネーブルメントの役割を確立または進化させようとしているのかもしれない。たとえばＳＰＡＲＸ・iＱには営業チームが効果的に動けていない領域の診断をサポートする、さまざまな評価が存在する。そうした評価の結果を活用すれば、特定された領域を埋めるのに最適なビルディングブロックを採用したり、修正したりできる。また、自分だけで作業を進めたいなら、本書に登場するビルディングブロックや４つのシステムを診断に用いて、ベストプラクティスに照らし合わせて自社を評価し、アクションプランを立てればいい。

本書では、フォーマルな成熟度レベルで機能するセールスイネーブルメントの役割の変わり続ける一部分を詳しく紹介しているということに留意してほしい。非常に詳細な説明もある。実際的かつ大きな影響力を持つ組織的パフォーマンスの改善は、営業リーダーシップの「もっとしつこく、速く、長く、雄弁に」営業しろという手法からは生まれない。スマートなパフォーマンス改善の施策をしっかり実行することが必要なのだが、これは多くの組織で著しく欠けている能力だ。

ソリューションの開発と導入を進める際、うまくいけばセールスイネーブルメントのリーダーと連携することになるが、焦点を見失うことなく、同意した計画の実行をセールスイネーブルメントのリーダーに委ねよう。セールスイネーブルメントが望ましい結果を生み出せないのは、誰か（大抵はシニアエグゼクティブまたはシニア営業リーダー）が簡単に「目を引くが実際にはどうでもいい事象」やそのとき世間で話題になっている物事に気を取られてしまうか、最近うまくいかなかったことに対して過剰に反応してしまうのが理由である場合が多い。こうした行動により、現在進行中の優れた計画が、その場の問題に対処するだけの条件反射的な新しい施策に取って代わられる。物事が変化したり、新たな情報が手に入ったりしたときに戦略を調整、方向転換すること自体に問題はない。だがそれがあまりに頻繁に起きるのであれば、いくらセールスイネーブルメントに取り組んだとしても成果は得られない。

最も影響の大きなセールスイネーブルメントのプロジェクトとは、見方を変えればチェンジマネジメントの施策である。シニア営業リーダーは営業チームの方向性を決め、営業文化に影響を与える。結果責任、コーチング、継続的な成長を尊ぶ文化を育てなければ、やがてあなたはソリューションではなく問題の一部となる可能性がある。ＡＴＤの「２０１９年営業トレーニングの状況」研究報告によると、アンケート回答者の59％がトレーニングの効果を妨げる最も大きな障壁として、「営業パーソンがトレーニングで学んだスキルを適用する責任を負っていない」点を挙げている。

セールスイネーブルメントリーダーへのメッセージ

まず、タマラ・シェンクによる序文を読んでほしい。本書に関してセールスイネーブルメントの観点から優れた洞察がなされている。また、この本の活用方法をいくつか次に挙げる。

ビルディングブロックは診断ツールおよびロードマップとして使用可能だ。セールスイネーブルメントの役割を完全なビルディングブロックのフレームワークに照らし合わせ、現在非常にうまくいっていること、改善の余地があることを確認しよう。

ロジックを使って、潜在的な影響に基づき施策の優先順位を付ける。

・規則が存在しないなら、作成する。セールスイネーブルメントをどのように定義するか、どの部門と協業するか、何に焦点を当てるか、成功をどのように測定するかについて意見をすり合わせることが成功の秘訣だ。

- 営業メソッドを新たに導入する予定があるなら、まずそれが自社のビジネスに適しているかどうか確認する。どれほどしっかりメソッドを実装したとしても、それが自社に適していないのなら成果につながらないことが多い。
- 新しい製品をリリースするなら、製品トレーニングにおけるシナリオベースのアプローチの採用、認定の作成、顧客中心型かつ問題解決型で製品に焦点を当てたメッセージの確立が、その時々における営業マネジメントの運用リズムの再調整より効果的である。
- 優先順位付けが鍵となる。たとえば１００人営業担当者がいて、離職率は５％なのに、離職者を置き換える営業担当者のみを新たに採用する計画を立てているとしよう。その場合、新しく入社した営業担当者のオンボーディングプログラムを改良したところで、四半期ごとのビジネスレビューや一流の戦略的アカウントマネジメントの習慣などを含む、顧客中心型かつ価値提供型（バリューセリング）のメソッドを現在の営業チームに導入することほどの影響力はない。

すべてのビルディングブロックやシステムを一度に実装できる人などいない。象を食べる方法についてのジョークと同じで、一度に一口ずつ進めるしかない。本書で紹介する診断を用いたアプローチとロジックを使って、リソース、時間、予算に基づきひとつ（または二つ）ずつビルディングブロックとシステムを実装してほしい。また、影響や補助的な戦略目標にも必ず目を配ること。

最後に、このプロジェクトと関連するすべてのフレームワーク、モデル、メソッド、実践、システムが非常に身近に感じられる存在となったとしても、冷静な視点を保つことをおすすめする。本書では私の思考や、長年にわたって取り組み優れた成果につながった仕事の内容を紹介している。しかし、私は常に、何年も前にトニー・ロビンスの著書で読んだ言葉を思い起こすようにしている（初めて読んだ当時、完全に理解していたとはいえないのだが）。後ほど、その言葉が元々は、数学者のアルフレッド・コージブスキーによる１９３０年代の発言に基づくものであると知った。「地図は現地そのものではない」

ファーナム・ストリートのブログ（fs.blog）はクリティカルシンキングや意思決定に関する素晴らしいアイデアの宝庫で、本書よりずっと多くの説得力ある情報が記載されている。手短に言うと、ビルディングブロックのフレームワークとは現実ではない。現実を表現する方法のひとつだ。どこに通りと建物があるかを示すことはできても、道にできた穴や歩道のブロック、欠けた格子などを表示することはできない。自社あるいは自分の営業チームでビルディングブロックを活用するための努力こそが現実で、魔法が生まれる場所である。この地図が読者を目的地に導いてくれるよう願っている。ただし、実際の取り組み、つまり重要かつ成果を生む仕事を担うのは、あなた自身なのだ。

第1章

セールスイネーブルメントのビルディングブロック

システム思考を用いた形式的アプローチ

シニア営業リーダーとセールスイネーブルメントリーダーがセールスイネーブルメントの役割を効果的に開始または進化させ、ビジネスの成果を達成できるよう、私はシステム思考に支えられた形式的な成熟度モデルとセールスイネーブルメントのビルディングブロック（構成要素）に重点を置いている（図1－1）。

ビルディングブロックのフレームワークにおける各ブロックについて説明する。

・**顧客理解**：このビルディングブロックでは、顧客のペルソナ、COIN-OP（課題（Challenge）、機会（Opportunity）、影響（Impact）、ニーズ（Need）、目標（Objective）、優先順位（Priority））、顧客が解決しようとしている問題、達成しようとしている成果、それぞれにおいて重要視される指標を特定する。プロセスの段階ごとの目標、タスク、完了条件を含む顧客の一般的な購買プロセスもこのブロックに含まれる。

・**バイヤー（顧客）エンゲージメントコンテンツ**：バイヤーエンゲージメントコンテンツは2種類ある。

図1－1
セールスイネーブルメントのビルディングブロックと営業サポートサービス

システム思考		
顧客理解	バイヤーエンゲージメントコンテンツ	営業サポートコンテンツ
営業の採用	営業トレーニング	営業コーチング
営業プロセス	営業メソッド	営業分析と指標
セールステックとツール	営業報酬と評価	営業マネージャーイネーブルメント
コミュニケーション：営業チームおよび部門をまたいだ連携		
営業サポートサービス		

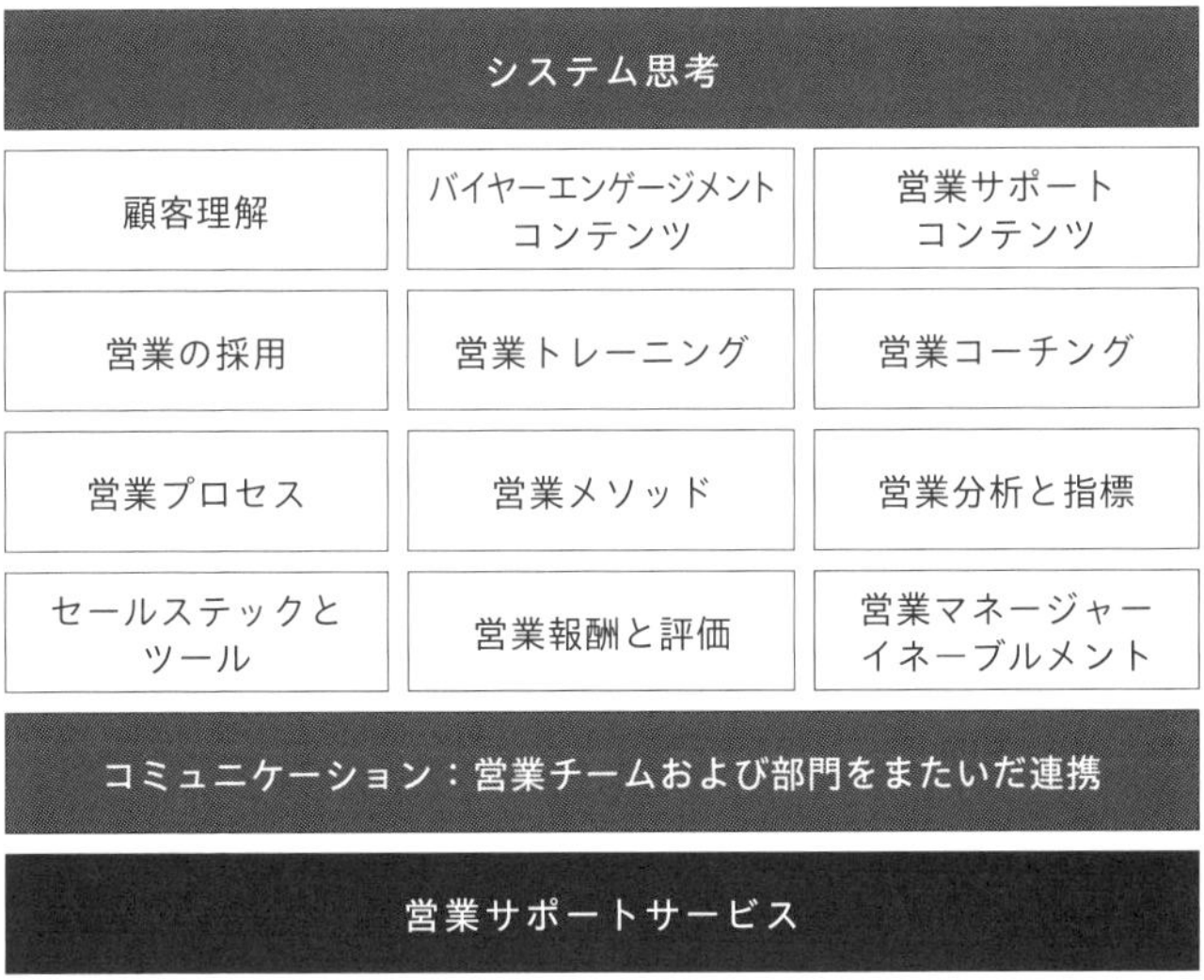

○1つ目のコンテンツは、営業担当者がアウトバウンドのプロスペクティング（案件発掘）を行い、顧客の関心を引き、反応を得るために使用するマーケティングコンテンツに似ている。
○2つ目のコンテンツは、購買プロセスを辿る一般的な顧客のペルソナが完了条件を満たせるよう作成されている。このコンテンツでは顧客の質問に答え、企業、製品、サービスに関する疑問を解消することでエンゲージメントを実現し、顧客が効果的に購入決定を行えるようにする（商談管理）。

・**営業サポートコンテンツ**：経営層が意図したとおりに営業チームが（営業プロセスや営業メソッドを使用して）行動できるようサポートするプレイブック、資料、ジョブエイド、早見表、ツールなど。

・**営業の採用**：このビルディングブロックでは他部門と連携して、それぞれの職務で成功を収めるであろう営業担当者やマネージャーの募集方針の決定、募集、採用、育成を行えるよう計画とプロセスを共同で作成する。

・**営業トレーニング**：営業チームをサポートするトレーニングと育成計画を作成する。これにはビジネスの目標をサポートするオンボーディングと継続的なトレーニング、営業プロセスと営業メソッドの教示、不足している営業スキルの獲得を目的とした継続的なトレーニングの開発、営業マネージャーのトレーニングとイネーブルメントが含まれる。営業トレーニングシステムを使用して知識の維持、スキルの練習、開発および移行、そして熟達に向けたトレーニングを行うことをおすすめする。

・**営業コーチング**：よく知られているパフォーマンス強化策。営業コーチングのモデルを選んで能力開発フレームワークを導入し、障害を取り除き、マネージャーに対するイネーブルメントを行う。営業担当者とマネージャーを継続的なプロセスに参加させて営業力の不足を補い、組織的な営業の熟達を実現し、パフォーマンスを向上させる。

・**営業プロセス**：このビルディングブロックでは、他部門と連携して営業プロセスを購買プロセスに関連付ける。また、各段階での顧客と営業にとってのプロセスの目標、タスク、完了条件を記録する。

・**営業メソッド**：このビルディングブロックでは、他部門とともに案件発掘、商談管理、戦略的アカウントマネジメントにおける適切な営業メソッドを選び出す。可能であれば成績上位の営業担当者の分析を、あるいは有効性が実証済みのベストプラクティスを用いて、職務ごとの営業力育成に努める。

・**営業分析と指標**：このビルディングブロックでは、商談の受注率、平均販売価格、クロスセル、オンボーディングの強化期間、セールスベロシティ【訳注：案件が企業の営業パイプラインを通過して受注にいたるまでの速度】、営業の生産性、目標達成率、コンテンツ共有、重要業績評価指標（ＫＰＩ）

など、ビジネスにとって重要な営業指標の基準を定める。他部門と協業してトレーニング前と後の結果を追跡するとともに、営業のオンボーディングや学習指標に沿ってあらゆることを分析する。使用可能なツールをすべて使用すれば、顧客、テリトリー、購買パターンなどを分析して、自社のビジネスを把握しパフォーマンスを改善できる。

・**セールステックとツール**：このビルディングブロックでは、他部門と連携して営業チームのサポート、効率性の実現、営業活動にかける時間の増加、セールスエフェクティブネス【訳註：営業が効率良く、効果的に正しいゴールに向かっているか】のサポートにつながるセールステックを選択、導入する。

・**営業報酬と評価**：このビルディングブロックでは他部門とともに、シニアリーダーが望む行動や成果につながる営業担当者の給与、インセンティブ、評価、報酬を設定する。

・**営業マネージャーイネーブルメント**：この内容だけで1冊の本が書けるほど奥深い、セールスイネーブルメント計画を立てるための必須要素。このビルディングブロックでは営業担当者の目標達成をサポートできるよう、マネージャーに対するトレーニングを行う。トレーニング内容にはパフォーマンスの分析、適切な介入の選択、効果的なコーチングが含まれる。コーチング文化を醸成して、営業力育成のフレームワークを実装する。また、社内に浸透させる営業マネジメントオペレーティングシステムとマネジメントの規律を決定し、それらに関するトレーニングをマネージャーに対して実施して、実行責任を取らせる。

ビルディングブロックはコミュニケーション（営業チームにとってのコミュニケーションの接点と、組織横断的なコミュニケーションおよび連携の醸成の両方）とシステム思考に支えられている。最後に、必要に応じてさまざまな営業サポートサービスの提供を決定できる。コーチングサービス、RFPサポートRFP支援、調査サポートなどだ。営業チームとサービス内容合意書（SLA）を結ぶこともよくある。

この後の章では各ビルディングブロックを紹介する。セールスイネーブルメントの役割を開始または進化させ、セールスイネーブルメント実践者と経営層が望む成果を得られるビルディングブロックを実装するにあたって必要な情報を提供する。だがまず、システム思考について説明しよう。

システム思考とは

システム思考に関する多くの書籍の著者であり、ペガサス・コミュニケーションズとMIT組織学習センターの共同設立者でもあるダニエル・H・キムは、システム思考についてこのように定義している。「システムとは、特定の目的を有する複雑かつ統合された全体を形成する、相互作用性、相互関連性、または相互依存性を持つ部分からなる集団である【訳注：『*Introduction to Systems Thinking*（システム思考の紹介）（未邦訳）』】」

キムはこう語ってもいる。「覚えておくべきなのは、あらゆる部分になんらかの相互関連性と相互依存性があるということだ。こうした相互依存性がないのであれば、私たちはシステムではなく一部分の集合でしかない【訳注：前掲書に同じ】」

別の方法で考えてみよう。たとえば自動車には相互連携するさまざまなシステムが搭載されているから、なめらかに走行できる。主要なシステムとしてはエンジン、燃料システム、排気システム、冷却システム、潤滑システム、電気システム、トランスミッション、シャーシが挙げられる。さらに、シャーシにはホイールとタイヤ、ブレーキ、懸架装置、車体が含まれている。駆動系や電気システム（スターター、バッテリー、オルタネーターなど）に問題があったり、複数のエンジンが回転しなかったり（燃料システムの問題）すると、車はうまく走れない。

人間の身体もシステムである。呼吸器系、心臓血管系、肺系統、骨格系、消化器系などの各システムがそれぞれ役目を果たし、問題なく機能する健康な身体を形作っている。

組織も同じだ。

政治環境、社会経済的な状況、マイクロ経済またはマクロ経済的な要素など組織外に存在するシステムもあれば、組織内に存在するシステムもある。本書では内部のシステムに焦点を当てて作動部分を解明し、それぞれが健全であるだけでなく、うまく連携していることを確認する。システムは組織、機能（部門）、職務（役割）、タスクのレベルで発生する。組織システムは数多あれど、最も優れた成果を生むと私が考えるシステムが次の４つだ。

- 営業の採用システム
- セールスレディネスシステム
- 営業トレーニングシステム
- 営業マネジメントシステム

昔からこれらの名称を使用していたわけではない。「セールスレディネス」が一般的な用語となる前は、私はこのシステムを「営業サポートシステム」と呼んでいた。営業トレーニングシステムは厳密にいうとセールスレディネスの一部だが、変化する部分が多くあり重要であるため別個のシステムとして取り扱う。また、営業トレーニングシステムにもサブシステムが存在する。「営業熟達と行動変容の５段階」だ。

どのシステムにも目的があり、最高の結果を出すには、あらゆる部分が存在し最高水準で機能している必要がある。クリティカルシンキングを用いると組織システムの各部分の関係性を分析できる。そうすれば、ビジネスの成果を向上させる方法についてよりよい意思決定を行うことが可能となる。

概要

この章では12のビルディングブロックを紹介し、それぞれの特徴と、すべてが組み合わさって統一体をなすのだと説明した。ただし、この段階で認識しておくべきことがもうひとつある。ビルディングブロックは状況に応じて使用可能だということだ。つまり、ビルディングブロックは一連のステップとしての使用が推奨されているわけではまったくない。これについては後の章を読めばもっとよくわかるだろうし、自分がどのブロックに注目すべきかも理解できるようになるはずだ。

また、システム思考を使用して相互依存性を作り出すこと、採用、レディネス、トレーニング、マネジメントという4つのシステムがビルディングブロックを支え組織横断的な連携を生むことについても説明した。

次の章では、最初のビルディングブロックである顧客理解について説明する。

第２章

顧客理解

営業という職種は、いまだに顧客中心の視点に移行できていない。もちろん顧客中心の概念自体は目新しいものではなく、オピニオンリーダーや先進的な営業のプロフェッショナルが長年にわたり実践している。だが、残念ながら広く普及しているとは言えない。過去数年にわたり、Ｂ２Ｂの購買調査では顧客が営業の行動に不満を抱いていることが指摘され続けている。

私は、市場と顧客をより深く理解することを「顧客理解」と呼んでいる。セールスイネーブラーの役割が、営業チームの有効性をさらに高いレベルに導くことだとすれば、顧客理解は必要不可欠なビルディングブロック（構成要素）だ。マーケティング部門や、前線の営業担当者とマネージャーの視点を含めることも有用だが、社内から社外への視点だけに基づいてペルソナを作成してはいけない。

顧客理解とペルソナ設定は、市場調査や実際の顧客あるいは顧客の立場に近い人物との話し合いをもとに行うことをおすすめする。必要な市場調査を行うにあたって社内に十分な知見が存在しない場合は、専門家をアウトソースする必要がある。

役割と目標を持つペルソナ、およびCO－N－OPの定義

顧客のペルソナ設定に対するさまざまなアプローチについては、より詳しい見解がすでに示されている（私はトニー・ザンビート【訳注：ユーザーペルソナの概念をもとに顧客を理解する方法として「顧客のペルソナ」という考え方を発展させた人物】やアデル・リヴェラ【訳注：「バイヤー・ペルソナ・インスティチュート」のCEO。多くのマーケターや起業家の育成に取り組んでいる】の手法から多くを学んだ）が、本章にもいくつか助言を載せる。有益なペルソナとは顧客の簡単なプロフィールにとどまらないものの、このプロフィールという概念を通じてペルソナとは何かを理解できるようになる。

企業のプロフィールである「理想の顧客特性（ICP）」とは異なり、顧客のペルソナとは一般的に企業の製品とサービスの購買に関与する各役割を担う顧客の詳細な説明である。

調査を行い、ペルソナを設定する際に検討すべき事柄をいくつか挙げる。

・役割と目標：

○顧客とは誰か。通常組織から製品やサービスを購入する意思決定者、インフルエンサー、ステークホルダーは誰か（つまり、顧客の購買委員会や、製品・サービスの購買プロセスに関与しているのは誰か）。

○顧客の役割、職務、責任は何か。

ソリューションや解決すべき問題に関してCOIN-OPを使おう。COIN-OPとは私が考案した頭字語で、顧客にとって最も重要な課題（Challenge）、機会（Opportunity）、影響（Impact）、ニーズ（Need）、目標（Objective）、優先順位（Priority）を表している。

・C／O：顧客はどのような課題に直面しているか。または、どのような機会を収益化しようとしているか。

・I：現状どのようなリスクと影響があるか。課題に対処できなかった場合、または機会を収益化できなかった場合に何が起きるか。

・N：右記の評価に基づく顧客のニーズとウォンツは何か（解決可能な問題に関連して）。

・O／P：COINをもとに顧客が設定した（または設定する必要がある）成果は何か。また、顧客はどのようにニーズや望ましい成果の優先順位を付けているか。それらを達成した場合、顧客にはどのようなメリットがあるか。

その他に含めることができる要因は次のとおりだ。

・**指標**：どのような測定が可能か。どのような指標が顧客にとって最も重要か。顧客は自身の役割における成功をどのように定義しているか。

・**予算**：顧客の通常の予算、管理範囲、購入権限はどのようなものか。

・**購買プロセス**：一般的な顧客のジャーニーはどのようなものか。その過程で社内の誰とやりとりするか。最も一般的な意思決定基準は何か。顧客はどのように意思決定を下すか。

・**企業**：顧客は一般的にどのような規模の企業または業界で勤務しているか（ここでは、理解というよりターゲット設定に有益なＩＣＰ（理想の顧客特性）情報を使用する）。

・**その他の圧力**：顧客に影響を与えうるその他のリスク、圧力、社内政治にはどのようなものがあるか。

・**個人的要因**：顧客に影響を与える可能性がある感情的要素、または個人的なニーズが存在するか。

ペルソナを人間として考えることは有用だが、ペルソナと人間の違いを忘れてはならない。ペルソナは調査とデータに基づく有益な情報を提供して、マーケティングの取り組みを正しい方向に導き、営業担当者による未知の顧客へのアプローチの準備を支える。ただし、あくまで一般化に過ぎない。マーケティングはターゲティング設定手法やアカウントベースのマーケティング（ＡＢＭ）のおかげで進化してはいるものの、多くは「1対多」のアプローチにとどまっている。営業は現代でも「1対1」または「1対少数」の活動だ。営業をかける際はまずペルソナのデータを最大化するべきだが、その後はペルソナ調査の枠を超え、実際の商談相手に関する深い知識を得る必要がある。

たとえば、とある顧客の意思決定基準はペルソナ調査の結果に非常に近いかもしれない。しかし、他者と仕事をしている営業のプロフェッショナルとしては、相手の課題、機会、影響、ニーズ、成果、優先順位の核心に迫るとともに、実際に意思決定を下す人のリスク、指標、圧力、政治、感情的要因、個人的ニーズ、個々の状況判断をも把握しなければならない。

顧客を把握できれば、営業担当者は顧客の関心を引き、彼らの状況をきちんと理解しているのだと示すことができる。B2Bの購買調査では、顧客が理解されたがっているのだと繰り返し示されている（と同時に残念ながら、平均的な営業担当者がこの分野で期待に沿えていないと顧客は回答している）。顧客に対する理解を示し、状況に応じてメッセージや会話をパーソナライズすることは、信用や信頼の要となる。営業が問題を完全に理解してからでないとソリューションについて議論しない場合はなおさらだ（忍耐は営業のスーパーパワーだと私は信じている）。

購買プロセスと完了条件

「完了条件（Exit criteria）」はシックスシグマ【訳注：1980年代にモトローラが開発した製造業向けの品質管理手法】の用語で、プロセスにおいて次の段階に進む前に完了すべき事柄を指す。つまり、購買プロセスの完了条件とは、各顧客が営業との商談を次の段階に進める前に見て、聞いて、感じて、理解して、信じる必要のある事柄だ。この定義を理解していれば、調査の規模を広げて各ペルソナの一般的な購買プロセスおよび各プロセスの完了条件を把握できるようになる。これは営業プロセスと購買プロセスを連動させる機会でもある。詳しくは営業プロセスのビルディングブロックで説明する（第8章）。

では、顧客が購買の意思決定を下す方法を見極めるにはどうすればよいだろうか。いくつかの問いについて考えてみよう。

・製品やサービス購入の意思決定を下す際、顧客は一般的に社内の誰と連携するだろうか？
・顧客側に定義済みのプロセスが存在する場合、それはどのようなものだろうか？　私自身は（購買プロセスを含む）顧客ライフサイクル全体を記録することにしている。最低でも購買プロセスだけは把握しよう。
・全体的な意思決定基準は何か？　プロセスの各段階における購買プロセスの完了条件は何か？

見込み客の多くが辿るバイヤージャーニーがわかれば、それに合わせた営業プロセスで顧客をサポートできる。プロセスの連携（これは重要な作業であるにもかかわらず、欠落していたり、外から内ではなく内から外への視点を用いた不十分なものだったりすることがよくある）に関するその他の局面を軽視するつもりはないが、私自身は顧客による購買プロセスの完了条件をサポートするための

図２－１
購買プロセスの完了条件に焦点を絞る

購買プロセスの完了条件

・発掘
・明確化
・実現
・同意確認

		購買プロセス				
		潜在的な施策を特定する	ソリューションを調べて比較する	オプションを比較してソリューションを選択する	条件を交渉して最終決定する	購入する
顧客ライフサイクル	目標					
	タスク					
	完了条件	●	○ ●	●	● ○	●

購買プロセスの完了条件：各意思決定者が営業との商談を次の段階に進める前に、見て、聞いて、感じて、理解して、信じる必要のある事柄。

準備に重点を置くことが多い。

これは商談管理の核となるタスクであり、パフォーマンス改善の重要なてこにもなる。プロセスのあらゆる段階における顧客の完了条件を把握すれば、「固定観念に基づく営業」をせずにすむ（図２－１）。営業担当者は重要な事柄のみに注力し、必要なタイミングで顧客のニーズとウォンツに対応できるようになる。

ペルソナ同様、完了条件も一般化できるものの、営業活動にあたっては各顧客の意思決定チーム固有の完了条件を発見、理解する必要がある。私自身は完了条件を「クオリフィケーション【訳注：一定の基準を満たしているかどうか判断すること】」と呼ばないこともあるが、現在進行形のクオリフィケーションの一種ではある。各顧客の各段階での詳細な基準を把握することだ。こうした基準を満たせない場合、商談の受注率は著しく低下する。クオリフィケーション手法はいくつも存在するが、最大限の効果を発揮するには完了条件を含めなければならない。

セールスイネーブラーとしては、営業担当者が各顧客の購買プロセスの各段階で完了条件を意図的に発見および明確化し、満たし、顧客の同意を確認できるようサポートするのが望ましい。そうすれば、プロセスや完了条件の違いに注意を払わず、同じ方法であらゆる顧客に対応する「固定観念に基づく営業」を排除できる。

また、完了条件を把握すれば営業のメッセージとバイヤーエンゲージメントコンテンツをつなげられる。営業担当者が使用できるようにセールスイネーブルメントチームが作成するバイヤーエンゲージメントコンテンツプランと営業のメッセージは、顧客理解に関連する調査、および発見した購買プロセスの完了条件の両方に基づくべきだ。

営業担当者は営業相手である実際の顧客向けに、ＣＯＩＮ－ＯＰと完了条件をもとにした効果的なメッセージをパーソナライズする必要がある。複数の顧客が購買に関与する中、それぞれに対して適切なメッセージを作成することを「マルチスレッディング」という。私自身はこれを「マルチリンガルセリング」と呼んでいる。何もフランス語、ドイツ語、スペイン語、イタリア語で営業するという意味ではない。ＣＦＯ、ＣＯＯ、マーケティング統括など、あらゆるペルソナに対して効果的なメッセージを作成するということだ。営業担当者は顧客に響く言葉を話さなければならない。

その他の検討事項を紹介する。

- 購買プロセスは直線状とは限らない。異なる段階の異なるタイミングで、異なる意思決定者が存在することがある。そのため、営業担当者は状況に応じて顧客を導く必要がある。
- 成果と完了条件は顧客によって異なることを肝に銘じよう。似通った完了条件もあれば、意思決定者の役割や個人的な視点に基づくユニークな完了条件もある。
- 新しい参入者（意思決定者、インフルエンサー、ステークホルダー）、望まれる成果、完了条件によってさまざまなことが変化する。営業担当者は常に注意を払い、状況に適応しなければいけない。

人の理解と個人的ニーズ

人の理解と個人的ニーズとは、個々の顧客が重視する事柄に注意を払い、適切に対応することである。顧客にとって最も重要なニーズや動機付け要因は何だろうか。私はデイビッド・マクレランド【訳注：欲求理論を提唱したアメリカの心理学者】、アブラハム・マズロー【訳注：人間性心理学を提唱したアメリカの心理学者】、チャールズ・ハンディ【訳注：アイルランド出身の経営学者。邦訳書に『THE HUNGRY SPIRIT これからの生き方と働き方』（大嶋祥誉監訳・監修、花塚恵訳、かんき出版、2021年3月）など】、そして最近ではダニエル・ピンク【訳注：邦訳書に『ハイ・コンセプト「新しいこと」を考え出す人の時代　富を約束する「6つの感性」の磨き方』（大前研一訳、三笠書房、2006年5月）など】の発想を組み合わせ、個人的ニーズと動機付け要因のリストを作成して仕事で使用している（このリストが気に入ったのであれば、暗記しやすい語呂合わせがある。PAM Orders Power BARS（パムがパワーバーを注文する）だ）。リストに含まれる要素は次のとおり。

- 目的（Purpose）
- 自主性（Autonomy）
- 熟達（Mastery）
- 秩序（Order）
- 権力（Power）
- 帰属意識（Belonging）
- 達成（Achievement）
- 評価（Recognition）
- 安全（Safety）

これらが組み合わされる場合もある。たとえば、安全を求める人は、秩序や帰属意識も追求することが多い。権力を欲する人は自主性や達成も求めている。

ニーズを突き止めソリューションを提案する際は、できる限り顧客の個人的ニーズと動機を考慮すること。何もアマチュア心理学者になる必要はない。顧客に有効性が実証された心理測定テストを受けてもらう必要もない。ただベストを尽くして質問し、答えを傾聴して、観察し、内容をまとめて、優れたコミュニケーションを実現する。と同時に、顧客の答えと個人的ニーズのリストを照らし合わせる（つまり、すでにやっているはずのことをやるだけ！）。これは精密科学ではないし、そうである必要もまったくない。

また、顧客にとって重要な事柄やその理由を理解しようとする際は、表面的な答えをよしとするのではなく、タマネギの皮をむくように深層を探ってみたり、細部まで確認してみたりするといい。そうすれば十分な手がかりや証拠を得て、各顧客に対してソリューションを売り込み、パーソナライズしたメッセージを打ち出せる。

概要

この章では重要な1つ目のブロック、「顧客理解」を紹介した。まず顧客のペルソナを定義し、それが市場調査に基づき作成されているものの、営業とマネージャーの視点を含む場合もあることを説明した。ペルソナを設定して顧客を理解、認識することは、購買プロセスを通じてパーソナライズされたメッセージを作成し、完了条件を理解、記録する際の礎となる。見込み客のバイヤージャーニーを把握すれば、それをサポート、記録できるよう営業プロセスを連携させる。それからバイヤーコンテンツの使用を検討するのだが、これは次の章およびビルディングブロックのテーマでもある。

第3章

バイヤーエンゲージメントコンテンツ

第1章で説明したとおり、バイヤーエンゲージメントコンテンツには2種類ある。

・**プロスペクティング（案件発掘）**：マーケティングコンテンツ同様、マーケティング部門によって作成される。アウトリーチ活動を行って認知度を向上させ、顧客の興味関心を醸成して、反応を引き出すために営業担当者が使用するコンテンツ。

・**商談管理**：一般的な顧客のペルソナが購買プロセスおよび営業プロセスを進むにあたって、購買プロセスの完了条件を満たせるように作成されるコンテンツ。顧客の質問に答えて企業、製品、サービスを明確にし、顧客が効果的な購買決定を下せるようエンゲージメントする。

コンテンツの種類には次が含まれる。

- ブログ投稿
- ポッドキャスト
- 自己評価
- 顧客の声
- チェックリスト
- ハウツー動画
- eブック
- SNSの投稿
- 業界またはアナリストレポート
- 診断ツール
- 第三者の視点
- 情報画像
- 説明動画
- ヒントシート
- インタビュー
- ライブまたはオンラインのデモ
- 評価ウェブサイト
- ホワイトペーパー
- インタラクティブツール
- キットやツール
- 教育ウェビナー

バイヤーエンゲージメントコンテンツは、顧客理解とペルソナ調査、中でもプロセスの段階およびペルソナごとの購買プロセスの完了条件に基づき作成しなければならない。

コンテンツ作成は、マーケティング部門、プロダクトマーケティング部門、需要創出部門（あるいは自社でそれらの役割を担うチーム）と協業するいい機会だ。ただし、鍵となるのは顧客理解と、そのの礎となる基礎的な顧客のペルソナ調査だという点を心得よう。社内の意見だけに頼ってコンテンツ作成を行うという、よくある過ちを犯してはならない。その意見が営業チームから寄せられたものだったとしてもだ。多くのマーケティング調査レポートによると、営業が実際に使用するマーケティングコンテンツはごくわずかである。理由はいくつもあり、営業側の問題も存在するのだが、より大きな課題は顧客の完了条件を満たさない、顧客にとってはどうでもいい内容のコンテンツが作成されていることだ。

この調査から顧客に関して学んだ内容は、コンテンツマーケティングプラン、需要創出の方針、営業のプロスペクティング計画、商談管理におけるアカウントエグゼクティブのコンテンツ戦略の強化に役立つ。ペルソナレベルとより詳細な個人レベルの違いを理解できれば、調査から生まれた一般的な基準と、特定の商談で意思決定者が掲げる非常に限定的な基準との違いに基づき、営業担当者がこのコンテンツをパーソナライズするための手段も提供しなければいけないのだとわかる。

つまり、コンテンツ調査と作成は、バイヤーエンゲージメントコンテンツ戦略を構築するためのまたとない方法なのだ。営業は顧客および段階ごとの完了条件を発見、明確化して、その完了条件を満たすために必要な事柄を提供し、提供した情報によって完了条件が満たされたことを顧客と確認する必要がある。その際マーケティング部門は顧客のペルソナ調査に基づくコンテンツを作成して営業担当者をサポートできる。

また、営業担当者が必要に応じて個々の意思決定者の実際の懸念や要件に基づき、コンテンツのメッセージをカスタマイズできるようにするべきだ。表3－1の最上列は、購買プロセスの段階を示して

表3－1
購買プロセスの完了条件を使用して
バイヤーエンゲージメントコンテンツプランを作成する

顧客のペルソナ	顧客の役割1	コンテンツプラン
興味関心	・完了条件 ・完了条件 ・完了条件	・顧客の声 ・ブログ投稿 ・ウェブサイトのページ ・動画
クオリファイ	・完了条件	・ビジネスケースのフォーム ・ケーススタディ
発掘	・完了条件 ・完了条件 ・完了条件	・発掘概要テンプレート
ソリューション設計	・完了条件 ・完了条件 ・完了条件 ・完了条件	・宣伝 ・技術仕様 ・ホワイトペーパー ・動画 ・パンフレット
提案	・完了条件 ・完了条件	・提案フォーマット ・ROI計算ツール ・参照
交渉	・完了条件	・なし

いる。「顧客の役割1」という行には、1つ目の顧客ペルソナの完了条件が記載されている。2つ目の行「コンテンツプラン」には、完了条件を満たす目的で作成できるバイヤーエンゲージメントコンテンツの例が示されている。

これはプロセス全体を通じて顧客をエンゲージし、意思決定や完了条件に合致する内容を提供するためのコンテンツプランを作成する、最も優れた方法だ。各完了条件に対応するコンテンツとメディアの種類を使用したプランを立案できる。

ペルソナの購買プロセスの各段階に、同様または独自の完了条件が存在するはずだ。コンテンツのメッセージはペルソナに響くものでなければならない。たとえばエグゼクティブや金融関係の顧客には金融のメッセージを、実行可能性と機能性を管理する顧客には技術情報とワークフロー関連の情報を、リスクを嫌う顧客にはリスクマネジメントに関するメッセージを届ける。

バイヤーエンゲージメントコンテンツを理解し、効果を最大化するには、それが営業によってどう使用され、顧客によってどう消費されるかを把握することが重要だ。セールスイネーブルメントソフトウェアを使用するとこれを実現できる。セールスコンテンツマネジメントまたはセールスアセットマネジメントのカテゴリーに属するソフトウェアを使用するといいだろう。ＣＲＭとの統合、適切なタイミングでの営業担当者へのコンテンツ提供、顧客によるコンテンツ消費の追跡が可能になる。十分なデータがあれば、顧客の系統や段階別のコンテンツ使用および消費を相関付け、営業プロセスを進む可能性が高い顧客を探ることもできる。

概要

適切かつパーソナライズされたバイヤーエンゲージメントコンテンツの提供において、顧客理解とペルソナ調査が根本的に重要なのだと理解できたはずだ。バイヤーエンゲージメントコンテンツ戦略を立案するときは、調査済みのペルソナと実際の意思決定者の違いに基づいてメッセージをカスタマイズし続けることになる。次のビルディングブロック（構成要素）では、営業サポートコンテンツが全体的なコンテンツ戦略で果たす役割について説明する。

第4章 営業サポートコンテンツ

営業サポートコンテンツは、経営層が意図したとおりの営業を行う、つまり営業プロセスに沿って営業メソッドを使用する営業チームをサポートする。コンテンツには次のようなものがある。

・パフォーマンスサポート
・営業プレイブック
・資料
・ツール
・ワークフローパフォーマンスサポートソフトウェア

デジタルで、またはソフトウェアを介して営業サポートが提供される場合、このカテゴリーとセールステックおよびツールのビルディングブロック（構成要素）との境界線は曖昧になる。ソフトウェアがコンテンツの使用を実現する一方、コンテンツそのもの（通常は営業メソッドまたは推奨される営業の方法）は営業サポートコンテンツである。

パフォーマンスサポートとワークフローパフォーマンスサポートの違いは単純だ。

- パフォーマンスサポートは見込み客へのアプローチ、顧客の懸念への対処、またはアカウントプランの完了といった営業担当者によるタスク完了をサポートする、紙やデジタルのジョブエイドまたは「早見表」で構成される。
- ワークフローパフォーマンスサポートにはタイミングという側面が加わる。営業担当者が辿るプロセスにおいて適切なタイミングでコンテンツを提供し、タスクをこなす必要性や方法を再認識させる。プリスクリプティブセリング【訳注：理由に基づくレコメンデーションを顧客に提供する営業形式】、またはガイデッドセリング【訳注：現在と過去の売り上げおよび顧客データを分析し、それをもとにパーソナライズした製品のレコメンデーションを顧客に提供する営業形式】と呼ばれることも多い。

では、営業サポートコンテンツの種類を順により詳しく見ていこう。

パフォーマンスサポート

パフォーマンスサポートツールは、ジョブエイド、早見表、作業シートと呼ばれることもある。パフォーマンスサポート資料を作成する際は、（自分自身が専門家ではないなら）教育設計の専門家と連携しよう。この種の人材は通常、トレーニング部門または人材開発部門に属している。この職種が自分の直属の場合は専門家を雇うか、フリーランサーやコンサルタントと契約を結ぶ。

いずれにせよ、パフォーマンスサポート資料は必要以上にややこしいものであってはならない。営業担当者が目の前にある仕事を教えられたとおりにこなすにあたってサポートを提供することに注力しよう。パフォーマンスサポートの目的はコンテンツをもう一度教えることではない。サポートがない場合と比較して、営業担当者がより高い精度または能力をもって容易にタスクを完了できるようコンテンツの内容を思い出させ、ひな形やガイドを提供することだ。

営業プレイブック

営業プレイブックには企業の市場戦略アプローチを構成するすべての要素が含まれている。プレイブックは紙、デジタル、スタンドアローンあるいは統合型のソフトウェアやハードウェアの形態で提供され、次の内容を含む場合が多い。

- 対象となる市場の情報
- 顧客のペルソナと理想の顧客特性（ＩＣＰ）
- 企業情報
- 製品情報と価格設定
- 標準的なオペレーションプロセスを使用した営業プロセスとワークフロー
- ＣＲＭに関するアドバイス
- セールスコールプランニングのテンプレート
- セールスコンテンツ管理（ケーススタディや顧客の声など）
- 営業メッセージを含むマルチタッチのケイデンス【訳注：顧客にとって最適なタイミングを見出すための取り組み】（サンプルメール、コールスクリプト、ボイスメールスクリプト、ソーシャルアプローチなど）
- 発掘ガイド
- クオリフィケーション（評価）手法
- デモやプレゼンテーションに関するアドバイス
- 競合他社の情報

・提案のガイドラインとテンプレート
・交渉に関するアドバイス

可能であれば組織のCRMに統合して営業プロセスをサポートする、デジタルのプレイブックを使用しよう。そうすれば営業担当者の日々のワークフローをサポートできる。

資料

資料を使用して、営業パーソンにトレーニングの内容を思い出させる。資料には学習強化やバーチャルコーチング活動などが含まれる。テスト、用語集、短い動画、エクササイズ、活動、プレイガイドなどが含まれる場合もある。

ツール

ツールはトレーニングコンテンツまたは営業メソッドを補足する。ジョブエイドに似ているが、デジタルかつインタラクティブな場合が多い。ROI計算ツールやスケジュール設定ソフトウェアなどがいい例だ。多くの場合ツールは単一の目的を持ち、単一の活動またはタスクをサポートする。

ワークフローパフォーマンスサポートソフトウェア

ワークフローパフォーマンスサポートソフトウェアは基礎的なツールというよりも、学習内容と仕事での実行を期待されている内容（プリスクリプティブセリングのメソッドを営業プロセスワークフローで使用するなど）を営業担当者に思い出してもらうための本格的なソフトウェアだ。

自動化されている場合、あるいはCRMに統合されている場合、デジタルプレイブックはワークフローパフォーマンスサポートの一種とみなされる。WalkMeというSaaSを使用すると、プログラム内からソフトウェアプログラムの使用方法に関するアドバイスを確認できる。Altify、Membrain、Revegy、ringDNA、Revenue Grid、Pegaなどのガイデッドセリングソフトウェアは営業担当者によるテリトリー管理、リレーションマップの作成、商談管理、アカウントプランの立案と実行などのタスク完了をサポートする。

概要

営業サポートコンテンツの目的は、営業担当者のパフォーマンスを助け、改善することであり、再教育ではない。精巧に作成されたジョブエイド、ワークシート、営業プレイブックなどの形で提供されるこのコンテンツは、適切なタイミングで適切な注意喚起として作用し、営業担当者を導く。

次は営業チームの人材を選ぶ番だ。４つ目と５つ目のビルディングブロック（構成要素）を見てみよう。

第5章　営業の採用

「営業の採用」ブロックと私自身の営業採用システムは同義であるため、この章ではこれらをまとめて紹介する。

営業採用システム

新しい営業チーム（営業担当者、マネージャー、リーダー）の採用または個々の営業の採用を正しく行うことはできるだろうか？　うまくいく確率はどのくらいだろうか？

営業の採用システムはすべての基盤だ。ジム・コリンズが『ビジョナリー・カンパニー2　飛躍の法則』(山岡洋一訳、日経ＢＰ、２００１年12月)で述べたように「正しい人をバスに乗せ、正しくない人をバスから降ろし、正しい人を正しい席に座らせる」のである。

システムは強力である。システムがあれば人材の可能性を最大化できる。というより、優れたシステムがあれば平均的な営業担当者から平均以上のパフォーマンスを引き出すことができる。だからこそ私はシステムを構築する。往年のゲリー・Ａ・ラムラー【訳注：邦訳書に『業績改善の技法―部門と部門を効果的に結ぶ3レベル分析』(アラン・Ｐ・ブレーシュ共著、高橋りょう司訳、ダイヤモンド社、１９９３年7月)】の言葉を引用すると「優れた人材とダメなシステムを競わせた場合、ほぼ毎回ダメなシステムが勝つ【訳注：ラムラー＝ブレーシュ・グループ、「Six Fundamental Laws of Organizational Systems (組織システムに関する6つの基本法則) (未邦訳)」より (https://www.rummlerbrache.com/sites/default/files/6-laws-organziational-systems-geary-rummler-brache.pdf)】」というわけだ。

つまり、最高の人材を用意しても、システムがダメなら台無しになる可能性がある。適切な人間を適切な職務に就かせていないのなら、ビルディングブロック(構成要素)も他のどのシステムも最大の成果を出すことはできない。これは心理学の環境論争によく似ている。遺伝または環境のどちらかに賭けるのではなく、できる限り両方をうまく調整したいものだ。

ひとつのシステムで適切なビルディングブロックを使用するとさまざまなことがうまくいき、それらを組み合わせれば効果は何倍にもふくらむ。だが、適切な人材の不足を埋め合わせることはできない。営業職においては特にそうだ。B2Bのプロの営業とは、実業界におけるオリンピック選手、事業における宇宙飛行士、営業における特殊部隊のようなものだ。「正しい資質」、あるいはオブジェクティブ・マネジメント・グループに勤める私の友人が言うところの「売る意思」と「適切な営業のDNA」を持っている必要がある。

もし営業のオンボーディングを改善し、育成期間を削減しつつ平均的な新入社員の生産性を向上させたいなら、まず行うべきなのはそれぞれの役割に適した人材の採用だ。次に、彼らに正しいカルチャー、環境、システムを提供する。

営業チームのパフォーマンスを向上したい場合、できることはたくさんあるが、最も大きなステップとなるのは適切なマネージャーの配置だろう（効果的な営業マネージャーの採用と昇進）。

誰だってわかっているはずだ。会議室で右のような発言をすると、誰もがうなずく。だからこそ問いたい。皆わかっているのに、一体なぜ適切な人材の選考にもっと力を入れようとしない?!?

私はこのトピックにちょっとした情熱を注いでいる。人材が与えうる影響力の大きさを目の当たりにしてきたからだ。適切なマネージャーを配置して、1年目の新入社員の離職率を75％から25％に改善した企業がある。堅固なB級プレイヤーで構成されているものの、筋金入りのA級プレイヤーが存在しないチームのマネージャーを適切な人物に置き換えた結果、たった半年で月間の生産性の平均を2倍にした企業がある。もちろん、どちらの例にも他の要因や施策が存在しただろうが、適切な人材なしではそれらもうまく作用しなかったはずだ。

反対に、今までに2回、次のような経験をした。評判が高く豊富な経験を持つ一流ベンダーが、お墨付きの履歴書、コンピテンシー測定、心理テスト、適正検査をもとに営業チーム（営業担当者とマネージャー）に対する完全な人材審査を行った。顧客企業のリーダーたちはプロセスの最初から最後まで関わり、各ステップを承認した。誰もがプロセスとツールの仕組みや、調査後にベンダーが提出することになる報告書の内容を把握していた。だが最終的な報告書が届くと、その企業の経営層は現在の営業チームに関する「能力が頭打ちとなっている」というコメントが気に食わず、報告書の存在を無視したのだ。結果を受け止めきれなかったのか、信じたくなかったのだろう。営業の成果は向上しただろうか？　残念なことに2社とも、営業目標を大幅に下回る結果を何度も出し、それから1年以内に解雇が始まった。

人材発掘と採用

採用プロセスを修正したら、人材発掘と採用に関する問題が浮かび上がるかもしれない。一度、B2Bの金融サービス企業向けに非常に効果的な選考システムを開発したものの、導入後すぐに問題が発生したことがある。理想的なプロフィールを作成したはいいが、それに少しでも近い候補者がパイプラインにひとりも存在しなかったのだ！

留意すべきは理想にぴったり一致する候補者などほとんどいないことだ。人間なのだから。それが採用のギヴ・アンド・テイクである。学ぶことが可能で、学習意欲があり、コーチングを受け入れる人になら、新しいスキルを教えることができる。吟味して望むべき資質を絞り込むべきだ。他のところで埋め合わせできるなら、少しくらいの不足は受け入れられる。コーチングやその他のサポートを提供すればいいのだ。

前述の金融サービス企業の場合、適切な人材を採用する方法を把握したのだから、新しい採用プロフィールに合わせて適切な人材発掘を行う必要があった。そのために採用チームや人事部と密接に連携し、問題を解決していった。これは非常に有益な経験となった。

ここまで読んで、膝を打ったり笑ったり泣いたりしている読者のみなさん。何かを変えたいと考えているなら、営業の採用に関してもっといい取り組み方がある。営業の採用システム（図５－１）を使うのだ。このシステムのどの要素も採用アプローチを改善できるが、要素を組み合わせればさらなる力が発揮される。

適切な採用は必要不可欠だ。ここで誤ちを犯せばあらゆる面で高くつくので、必要ならコンサルタントの助言を仰ごう。ひとりひとりの採用が重要視される企業では、このシステムのすべての要素を導入したこともある。その他の企業ではそれぞれの企業とカルチャーにおいて意義のある要素の組み合わせを選んだ。どのケースでも評価と行動面接は含めた。また、社内で受け入れられなかった場合を除き、ロールプレイとシミュレーションを実施してスキルをチェックした。

営業の採用システムの要素

このシステムは採用プロセスを開発するためのフレームワークで、プロセスそのものではない。フレームワークがあれば、それぞれの企業に適した「営業の採用システム」の要素を選んで構築できる。図に示した薄い色の要素は、バックグラウンドで実

図5－1
営業の採用システム

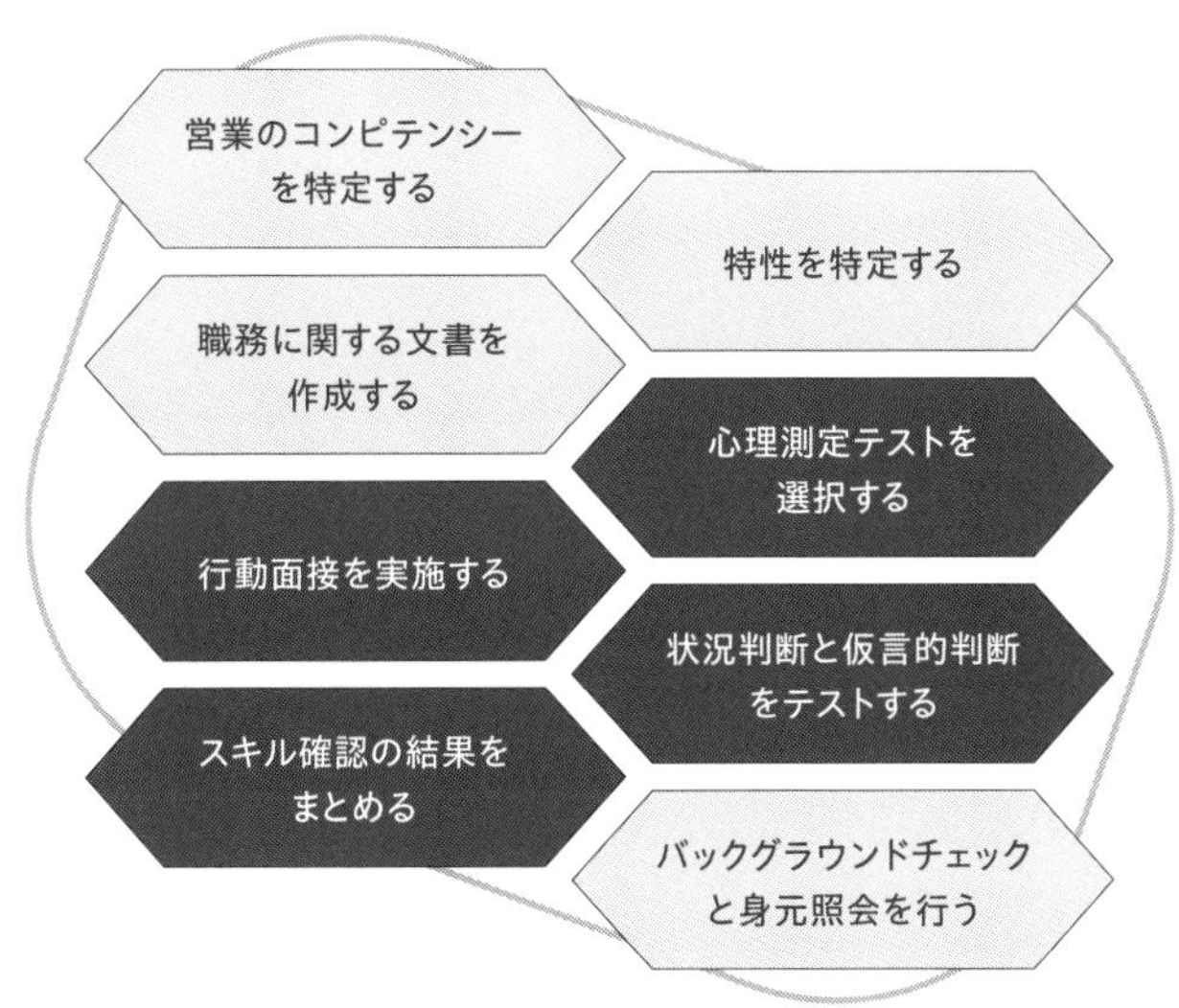

行されるものだ。暗い色の要素は候補者とともに行うことである。

営業のコンピテンシーを特定する

最初のステップは、会社の各役割において営業として成功するために必要となるコンピテンシー（能力や振る舞い）の特定だ。役割とその他の事柄は重複することもあるが、すべてリスト化してから必要なものを選択する。これがこのシステムの基盤となる。参考までに、このプロセスで利用できる専門家やリソースを紹介する。

- ＡＴＤのワールドクラス・セールス・コンピテンシー・モデル
- セールス・ベンチマーク・インデックス、アレクサンダー・グループ、ＺＳアソシエーツなどの営業コンサルティング会社
- 多くのマネジメントコンサルティング会社
- デイヴィッド・ブロックは優れたスターターキットを持っていて、（依頼があれば）無料で共有している
- スキルディレクターのシェリル・ラッスはコンピテンシーモデルの構築と経時的なスキルレベルの評価をサポートしている（また、それらにトレーニングコースを結びつけ、自動的にパーソナライ

ズされた学習計画を作成してくれる)。ラッスはほんの数週間でコンピテンシーモデルを作成できる迅速なコンピテンシー開発プロセスも持っている。また、コンピテンシー評価の実現や管理に役立つオンラインツールも提供しているので、要チェックだ。

- 評価ベンダーによってはコンピテンシーベースのアプローチを使用しているところもあり、職務別のコンピテンシーを選択できる。その後、それらに基づくベンダーの評価を確認可能だ。SPARX・iQではデイヴ・カーラン率いるオブジェクティブ・マネジメント・グループと連携し、検証済みの21の営業コンピテンシーを調査して、営業チームのパフォーマンス改善に向けた強み、育成領域、埋めるべきギャップを示す個別または組織的評価を提供している。
- SPARX・iQには「モダン・セールス・ファウンデーション」コースの元となったコンピテンシーモデルもある。

他にもさまざまなコンピテンシーの専門家が存在する。営業トレーニング企業のサポートを受けることもできる。

特性を特定する

必要なコンピテンシーを選択したら、それらを支え、さまざまな職務で成功するために必要となる特性（属性、特質、性質、マインドセットとも呼ばれる）を特定する（営業には高いスキルレベルだけでなく、特定のマインドセットや特性が必要だ。会計士というよりはオリンピック選手のようなものだと考えてほしい）。これは職務によって異なる。コンピテンシーと同じく、特性もリスト化してみよう。

職務に関する文書を作成する

営業の各役割における業務の説明、職務明細書、プロフィールを作成しよう。成功するために必要なタスクを記録し、各職務の要件を構築するにあたって定義したコンピテンシーや特性を含めること。

心理測定テストを選択する

このステップの鍵は、営業の採用において必要不可欠なコンピテンシーや特性を評価することが可能な、統計的に有用性が実証された心理測定テストを見つけることだ。

さまざまな方法があるが、私の経験からいうと既存の「営業プロフィール」に照らし合わせて評価するよりも、自社のトップ営業の評価とプロファイリングを行って、彼らに似た人材を採用できるようにするのが望ましい。そのためには成績上位、中位、下位の営業担当者を調べて、上位者と中位者、および上位者と下位者との間の統計的に有効な違いを見つける。そうすればどのような候補者を探すべきかだけでなく、どのような候補者を避けるべきかもわかる。

私はこの手法を用いて大きな成果を達成してきたのだが、これには限界もある。世界クラスのエリート営業担当者が持つすべての特性を、自社のトップ営業が持っているわけではない。また、自分で（または誰かを雇って）成績上位の営業担当者の分析計画を実施し、これに基づき採用方法を変えることはかなり時間がかかるし知識も必要となる。ただし、世界クラスのエリート営業のプロフィールに基づく、予測の信頼度が高い有効性実証済みの営業評価を使用すれば、この作業にかかる手間のほとんどを省ける。

この方法は営業チームが少人数の場合にも有効だ。ただし、その場合はより多くの営業担当者を採用し、パフォーマンスの相互関係を確認してデータを構築するまではデータの有効な分析が実施できず、評価会社の経験に依存する必要が生じるだろう。

ベンダーによっては評価を「選り分け」ツールとして販売している。評価結果は決定プロセスの三分の一を占めるよう重み付けすべきだと助言するベンダーもいる。私自身は候補者の優先順位付けや、面接プロセスと最終決定の連絡を行うために評価を使用している。これは、精査すべき履歴書がたくさんある場合に特に有益だ。また、理想のプロフィールからどれほどかけ離れているか、あるいは主要な区別要素とされるコンピテンシーやマインドセットの評価が低いかどうかに基づき、候補者を排除することも可能になる。

何をするにしても一貫性を保とう。有効性調査を別にすれば、それでこそこのプロセスは法的かつ倫理的なものとなる。

私は心理測定のＰｈＤを持っているわけではないが、今まで実施してきた調査に基づきイプサティブ方式【訳注：自分に該当する、あるいは該当しない項目を選ぶ】ではなくノーマティブ方式【訳注：質問に対して複数の選択肢から回答を選ぶ】のテストを用いることを強くおすすめする。ノーマティブ方式を使用すると、対象者（評価中の候補者または社内で評価中の営業担当者）と他者を比較できる（だから「ノーマティブ（規範的）」方式と呼ばれている）。イプサティブ方式では対象者の観点から、個人としての対象者について知ることができるが、統計的に他者と比較できない。ノーマティブ方式は統計的に効果が実証されていて、仕事との関連性があり、保護の対象となる集団やマイノリティの人々に対する悪影響がなく、テストに関する政府の基準を満たしていれば法的に使用可能だ（「従業員採用手順に関する統一指針【訳注：米国政府が定める採用に関する指針】」に記載されている）。

テストを評価する際は、次を確認しよう。

- 営業固有のテストか
- 業界、企業、職務ごとにカスタマイズが可能か

- ノーマティブ方式かイプサティブ方式か
- 信頼性の高いニュートラルな第三者によって、営業に対する予測的有効性などが最近統計的に検証されているか（ベンダーは技術マニュアルまたは研究報告書と呼ばれる報告書を共有してくれるはずだ）
- 政府および法規制を遵守しているか（ベンダーはこの情報も技術分析で共有してくれる）

完璧を目指す必要はない。完璧な評価などないのだから。ただし有効性が実証された調査を求めよう。（信頼性のある独立した第三者によって）統計的に有効だと実証された取り組みは、今行っていることよりずっと優れているはずだ。特に、次に挙げる他の手法も組み込まれているのであれば。

行動面接を実施する

行動面接は採用において確立された手法で、有効であるにもかかわらずほとんど活用されていない。リクルーターや採用マネージャーが行動面接を用いているとされる企業で面接を受けたことが何度かあるが、面接官によって行動質問をされたことはまったく（あるいはほとんど）なかった。行動面接の質問を確立すると、求めているコンピテンシーや特性を候補者が有しているかどうかを見極め、候補者の過去の行動からそれらの例を確認できる（未来の行動を予測するには過去の行動を確認するのが一番だ）。だから質問を活用しよう。

状況（Situation）、タスク（Task）、行動（Action）、結果（Result）からなるSTARフレームワークでは次を実施する。

- 候補者が［評価したい具体的な行動を記入］した例を挙げてもらう
- それから、フォローアップの質問を通じて候補者に次の点について話してもらう
  - ○状況（評価するコンピテンシーまたは特性に関連するもの）
  - ○そのときのタスク
  - ○とった行動
  - ○結果
  - ○可能であれば、その出来事から学んだこと（これは優れたフォローアップとクロージングになる質問だ）

質問例をいくつか挙げる。

- 「主要な見込み客から反応を得られなかったときのことを話してください。また、その状況を突破してアポイントにこぎつけるために何をしたかを教えてください」
- 「より複雑な案件では、複数の意思決定者とのやりとりが多いということでしたね。同一のアポイントで、異なる興味関心やニーズを持つ複数の顧客とやりとりすることになったとき、どのように

アポイントに対処し、それぞれの顧客から同意を得て案件を進めたのか教えてください」
・「ご自身のテリトリーにおける主要アカウントのプランを作成していたときのことについて教えてください。特に、どのようにアカウントの可能性を評価し、アカウントの目標を設定して、目標達成のためのプランを作成したかを知りたいと考えています」

面接官がメモをとり、候補者による回答をスコア付けする方法を確立しよう。望ましい回答例に照らし合わせるのがいいかもしれない。複数の面接官がいる場合は、全員にしっかりトレーニングを提供し、1か所に集めてそれぞれの考えを共有したり、候補者評価を調整したり、コンピテンシー別の面接スコアを（できる限り）連携させたりできるようにする。もちろん、余計な作業が発生するだろう。だが能力の低い営業担当者を採用するコストを考慮すれば、その価値はある。

状況判断と仮言的判断をテストする

状況判断の質問をすると、その企業で営業活動を行う際に直面する可能性が高い困難な状況で候補者がどう対処するかを確認できる。これは、行動質問に答えるために必要な行動状況に候補者が直面したことがない場合、特に有効だ。困難な仮想シナリオ（企業の上位営業担当者による体験など、実際のケーススタディをもとにする）をいくつか作成し、質問と望ましい回答を用意して、候補者の回答を評価する。

たとえば、このような質問が想定される。

・「重要な顧客の主要幹部と会議室にいると想像してください。製品を決定する際の意思決定基準は人によって異なります。グループミーティングで、その状況にどのように対処しますか？」

・「あなたのテリトリーにおける収益の60％、および会社の収益の12％を占める最大の担当アカウントの主要な連絡先から、新たなエグゼクティブが入社したと聞きました。その結果、このアカウントは引き続きあなたの会社からのみ製品を調達するべきか、それとも複数のサプライヤーから製品を調達してリスクを削減するか検討しているということです。あなたならどうしますか？」

スキル確認の結果をまとめる

演奏を聴かずして音楽家を雇うことはあるだろうか？　オーディションなしで俳優やダンサーを雇うことは？　試合を見ることなくバスケットボール選手を雇うことは？　当然ないはずだ。

音楽家、俳優、ダンサーのオーディションや、バスケットボール選手のスカウトと同じ方法で、他の企業出身の営業担当者を判断することはできない。だから別の方法でスキルを検証し、「営業活動中の候補者を確認する」必要がある。そのための選択肢のひとつが、ロールプレイシナリオまたはシミュレーションを作成し、候補者が有していると主張するスキルが本当に備わっているかどうかを確認することだ。シミュレーションとは低レベルのロールプレイ（ただし「私にこのペンを売りつけてください」などのくだらない質問はしないこと！）の場合もあれば、バーチャルコーチングソリューション、バーチャルロールプレイ、完全オンラインの枝分かれしたスコア付きシミュレーションの場合もある。アプローチによって有効性は異なるものの、ロールプレイが有益であることに変わりはない。

案件の発掘を行う営業開発担当者または現場の営業担当者を採用する予定であれば、候補者から面接官にメールと電話で連絡させよう。実際またはシミュレーションのケーススタディや商談を与え、候補者がどう対応するかを見極める（ただし、電話をかける相手は実際の見込み客ではなく面接官）。想像力を駆使して、できる限り現実的なタスクやシミュレーションを作成し、候補者の対応を探る。

平均的な営業担当者が売ることができるのはただひとつ、自分自身だ。そして偽ることができないのが、優れたテスト結果と望ましいスキルの提示である。私はこうした「オーディション」を用いて、最終候補者たちに競争させつつ（ただし候補者同士は顔を合わせない）、営業担当者や営業トレーナーを採用してきた。この段階でつまずく候補者があまりにも多いことに驚くはずだ。

バックグラウンドチェックと身元照会を行う

最終候補者に対しては、人事および政府や各都道府県の法的ガイドライン、企業のポリシーや承認済みの実践内容に沿ってバックグラウンドチェックを行う。これには採用、教育、犯罪のバックグラウンドチェック、ドラッグテスト、身元照会などが含まれる。身元照会においては候補者の職務、採用年月日、報酬のみを提供し、候補者または候補者のパフォーマンスに関するコメントはしない企業が多い。法的な懸念が存在するからだが、そのため昔ほど有用性は高くない。少なくとも法律が許す限り犯罪歴は確認しよう。専門家から助言を求めるといい。

すべてを統合する

こうした要素（または選択した要素）を組み合わせ、構造的で倫理的なプロセスに沿って採用を進める。行うべき内容を紹介する。

- 採用プロセスで使用する要素を選択する
- プロセスフローを決定する。たとえば
  - ○どの時点で評価を使用するか？（私は最初の完全な面接の前、真っ先に使用することを好む）

○仮説質問を使用して状況判断を評価するか？（私ならそうする）
○能力調査のロールプレイはどのように行うか？（採用マネージャーを関与させること）
・面接実施におけるしっかりとした計画を立てる。検討事項は次のとおり。
○複数の面接官に別々のコンピテンシーを割り当てる（面接を分割する）か、面接官全員が完全な面接を実施するか？（どちらでもうまくいくはず）
○面接官全員による評価をどのように測定すれば、採用マネージャーが評価を理解して意思決定に加味できるか？（議論と調整なしでは、3点あるいは4点が何を意味するのかは面接官によって異なる。最終候補者や面接に関する話し合いは、数学的な平均点を確認するより有益だ）
・コンプライアンスに沿った方法を決定する。公平で法的な決断をするには一貫性が鍵となる
・採用マネージャーと面接官に対するトレーニングを行い、システムと測定結果を導入する

概要

営業採用プロセスの確立に関する本章で説明したとおり、手法やシナリオの組み合わせは数多くあるためすべてを紹介することはできないが、ここで紹介した事柄は考慮する必要がある。経験豊富なコンサルタントやベンダーパートナーのサポートを得て、採用のフローやプロセスを確立してもいい。

こうした選考システムを導入するのは大変だと感じるかもしれないが、難しいのは新しいプロセスの調査、プロジェクトの作業、意思決定、導入だ。要素と納得のいくプロセスを確立し、関係者にシステムの使い方を教えたら、あっという間にリズムができあがり有益な面接を行えるようになる。

適切な営業人材を採用することの重要性、そして離職コスト、能力の低い営業担当者、営業成績を達成できない営業担当者による機会損失について考えれば、適切な人材を採用するために時間とエネルギーを投資してよかったと思えるはずだ。次の章では営業トレーニングのビルディングブロックを紹介する。

第6章 営業トレーニング

営業トレーニングはセールスイネーブルメントの重要な要素だ。最近、セールスイネーブルメント職の人々から「セールスイネーブルメントが意味するのはトレーニングだけじゃない！」という声が上がることがある。まさしくそのとおりだ。だから初めに、いくつかはっきりさせておきたい。

・もちろん、セールスイネーブルメントとはトレーニングだけではない。ビルディングブロック（構成要素）の幅広さを見れば理解してもらえると思う。

・本章のビルディングブロックについて説明し、実際のトレーニング内容を詳しく見ていくうちに、他の役割との連携の重要性が明らかになるはずだ。

とはいえ、トレーニングの重要性や、このビルディングブロックが持つ革新的な力を過小評価するつもりはない。営業チームに最大の成果を生む方法を教え、実務への適用を促して営業の熟達を実現することは、イネーブルメントにおいて必要不可欠な考え方であり、営業パフォーマンスを向上させたいなら軽んじてはならない。実のところ、多くのその他の機能がトレーニングに対するインプットを提供してくれる。

本書で紹介する4つのシステムのうちの2つ、セールスレディネスシステムと営業トレーニングシステムがこのビルディングブロックの基盤となっている（コーチングも厳密にはトレーニングシステムの一部なので、営業マネジメントシステムもこのビルディングブロックの基盤だと言える）。「乗っ取り」だと揶揄されるかもしれないが、私は営業トレーニングシステムがセールスレディネスシステムに組み込まれるように、また営業熟達と行動変容の5段階が営業トレーニングシステム内に組み込まれるように設計した。これらのシステムとサブシステムについて説明すれば、これが非常に自然で有機的なことなのだとおわかりいただけると思う。すべてがより大きなエコシステムの一部としてつながっているというのがシステムの概念なのだから。全体とは、部分の合計より大きいのだ。

セールスレディネスシステム

まずセールスレディネスシステムの概要から始めよう。なぜなら、トレーニングシステムはセールスレディネスシステムに組み込まれているからだ（図6－1）。

セールスレディネスシステムは次のステップによって構成される。

・市場と顧客のペルソナについて十分理解する
・意思決定と完了条件を含む購買プロセスを記録する
・意思決定と完了条件に沿ったバイヤーエンゲージメントコンテンツを作成する
・営業担当者が領域、ビジネス、ソリューションを把握しており、顧客の言語で価値を伝えられることを確認する
・営業プロセスを購買プロセスに連携させ、顧客中心型かつコンサルティング型で、ソリューションを中心とした成果重視の営業メソッドを使用する
・セールスイネーブルメントツールを使用してコンテンツを管理、共有、追跡し、営業の効率性と有効性を向上させる
・分析を活用してトレーニング、コンテンツ、営業行動、結果を追跡する
・営業担当者に対するトレーニングを実施して、貴重なビジネスに関する会話を顧客と交わせるよう

にし、営業担当者による顧客、領域、ビジネス、ソリューションの知見を通じて
真の価値と区別化を生む

友人のジム・ニニヴァッジはセールスレディネスの専門家でもありエヴァンジェリストでもある。彼は以前、こう述べていた。セールスレディネスには「営業パーソンが顧客のジャーニー全体を通じて必要となる会話を交わすために適切な能力と知識を持っているかどうかを評価、保証することが含まれる。生産性が高く知識豊富で、いつでも結果を出せる機敏な営業チームを築くには、トレーニングとコーチングが重要な鍵となる」と。

私の経験からすると、セールスレディネス活動の有効性は、構成要素と実践によっ

図6－1
セールスレディネスシステム

て変わる。特に現代のB2B市場では、一般的なビジネスとやりとりを行う顧客に関する深い知識を、営業に提供する必要がある。実行をサポートするのは別の営業トレーニングシステムなので、ここではセールスレディネスシステムの要素に焦点を当てる。

顧客のペルソナ

この要素は、営業担当者による担当市場と、製品やサービスを購入する顧客のペルソナについての理解をサポートする。詳しくは「顧客理解」の章で説明している。

購買プロセスと完了条件

前述のとおり、購買プロセスにおける完了条件とは、各顧客が安心して営業との商談を次のステップまたは段階に進めるために、見て、聞いて、感じて、理解して、信じる必要がある事柄だ。レディネスシステムでは、ペルソナと購買プロセスが顧客にとっての最重要事項の基盤となる。市場と顧客をしっかり理解できなければ、営業パーソンは潜在的な可能性を最大化できない（つまり「準備万端（レディ）」な状態にならないし、営業もできない）。

バイヤーエンゲージメントコンテンツの作成

この要素では、ペルソナや完了条件と連動したコンテンツマーケティングまたはバイヤーエンゲージメントコンテンツのプランを作成する。このステップの責任者はセールスイネーブルメントリーダーではない場合が多いが、それでもマーケティング部門やプロダクトマーケティング部門と連携し、顧客の要件に沿ったプランおよびその成果であるコンテンツを作成しなければならない。

完了条件とは、セールスレディネスシステムの最初のいくつかの要素を縫いまとめる針と糸のようなものだ。購買プロセスの各段階で、顧客が通常見て、聞いて、感じて、理解して、信じたいと考えている内容を理解していれば、これらのニーズとウォンツを満たすことを目的としたマーケティングと営業のコンテンツ（「バイヤーエンゲージメントコンテンツ」）を作成できる。この要素については第3章「バイヤーエンゲージメントコンテンツ」で詳しく説明している。

領域知識とビジネスまたはソリューションの知見

このステップでは営業担当者をトレーニングし、顧客と知見にあふれた価値の高いビジネス上の会話ができるようにする。領域知識、ビジネスの知見、ソリューションの知見は、効果的な営業メソッドにおいて必要不可欠なインプットだ。これらは「針と糸」に似た役割を果たし、先ほど顧客側に焦点を当てたのと同様に、セールスレディネスシステムのこちら側を縫いまとめてくれる。

領域知識とは、ビジネスの慣習、現在起こっているイベントや最新情報、業界の全体的な状況など、顧客の業界に関する理解を指す。真の価値と差別化を実現し、生産性の高い営業活動とビジネスの会話を行うには（これには発掘や、最終的にはソリューションに関する会話が含まれる）、営業担当者は領域知識と一般的なビジネスの理解を身につけ、解決すべき問題を発見し、ソリューションの価値を話し合う能力を持たなければならない。顧客のレベルによっては金融についての深い理解が求められる場合もある。

ソリューションの知見には次のような能力が含まれる。

- 問題に対する適切なソリューションを選択する
- 顧客と連携してソリューションまたは適用方法を共同作成する（同意や主導権を醸成する）
- 課題、リスク、機会の決定および望ましい結果の実現とソリューションを結びつけることでソリューションの価値を伝える（こちらも重要な指標に反映されている）

領域知識、ビジネスと金融に関する理解、ソリューションの知見は、次の目的を実現したい場合、エグゼクティブの顧客に対して営業するための入り口となりつつある。

- 信頼、信用を獲得する
- 適切な質問をして解決する価値のある問題を発見する（案件の停滞や意思決定がなされないという

結末の回避につながる）

・顧客の課題が最も重要な指標にどのようなマイナスの影響を与えるか、自社のソリューションがこれらの指標にどのようなプラスの影響を与えるかを理解する

営業プロセスと営業メソッド

この要素では、プロセスを記録して連携し、顧客中心型かつコンサルティング型で、価値を重視したソリューション志向かつ成果を追及する最新営業メソッドを選ぶ。

営業プロセスとは、リードの発生から購買の意思決定（あるいは不買の意思決定）がなされるまでに商談が通過する段階のことだ。購買プロセスを使用して営業プロセスの段階を記録、整理し、各段階で次の内容を文書化することをおすすめする。

・目標

・タスク（活動とステップ）

・完了条件（次の段階に進む前に完了する必要がある事柄）

つまり営業メソッドには、顧客と対面する営業担当者が各段階で実行するタスクと活動が含まれる。営業が販売するために行うこと、およびその方法なのだ。これらのトピックに関しては、第8章「営

業プロセス」と第9章「営業メソッド」で詳しく説明する。

セールスイネーブルメントテクノロジー

この要素では、使用可能なソフトウェアを用いて効率性と営業の有効性を改善する。「セールスイネーブルメント」という言葉が広く使用されるようになる何年も前に、私のメンターはこう言っていた。「テクノロジーはただのイネーブラーだ」と。これは当時のeラーニングのテクノロジーについての発言だったのだが、現代でも通用する意見だし、間違いなくセールスイネーブルメントテクノロジーにも当てはまる。１９９５年、彼はおそらく誰よりも早く「ツールを使えたとしてもバカはバカのままだ」と発言した人間だった。今となってはどこでも耳にする言葉である（こちらも変わらない真実だ）。これについては第11章「セールステックとツール」でより詳しく説明する。

分析

この要素ではトレーニング、コンテンツ、営業の行動、結果を追跡する。詳しくは営業の分析と指標に関する章で紹介する。

営業トレーニングシステム（セールスレディネスの一部）

ついに営業トレーニングシステムの登場だ（図6－2）。営業トレーニングを無視してセールスレディネスの話はできない。トレーニングシステムはレディネスシステムの一部となっている。

営業トレーニングシステムはセールスレディネスシステムの一部だが、非常に重要であり、かつ詳細に分類されているため個別のシステムとして取り扱うに足る。また、「営業熟達と行動変容の5段階」という独自のサブシステムも含まれている。

営業トレーニングシステムの要素は、チェンジマネジメントシステムとして機能することに注目したい。

- 変革に備える
  - ○トレーニングコンテンツが成果を生むことを確認する
  - ○優れた学習体験を設計する
  - ○前線の営業マネージャーを関与させ、やるべきことをできるようにし（イネーブルメント）、能力を高める
- 変革を導く（5段階）
  - ○学習―コンテンツのトレーニングを行い、学習が実施されたことを確認する

○記憶―知識を維持する
○練習―スキルを育てる（エキスパートによるフィードバックを繰り返して練習する）
○適用―スキルを仕事に転移し、適用する
○熟達―時間をかけて熟達するまでコーチングする
・変革を確立する
○指標と測定を整理する
○行動とパフォーマンスに対する期待を実現できるよう管理する
○企業文化に変更がしっかり根付くまで導き、管理する

では、システムの要素を詳しく見ていこう。

図6－2
営業トレーニングシステム

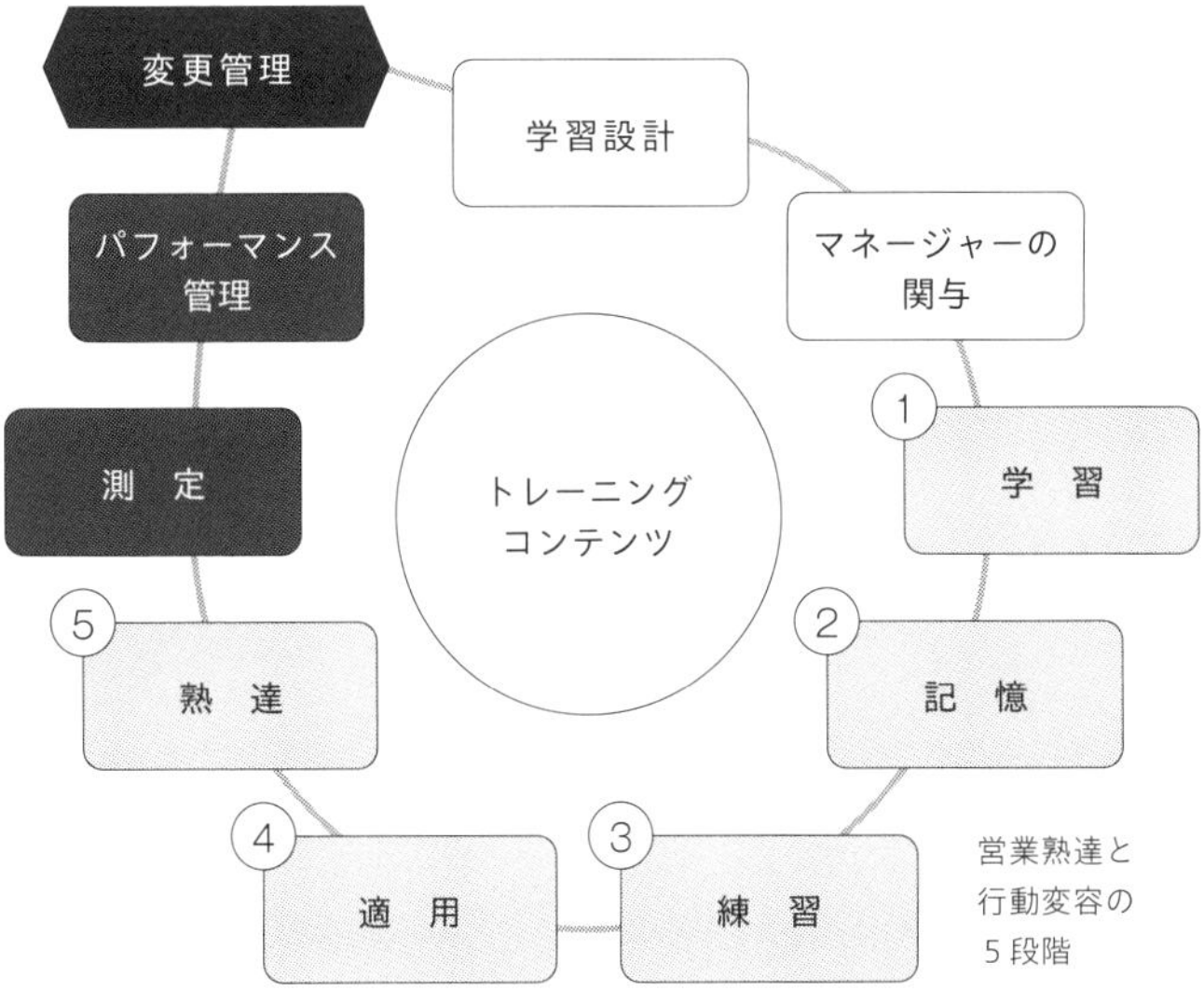

トレーニングコンテンツ

世界最高のトレーニングシステムまたは学習システムがあったとしても、含まれているのが実際のビジネスにおける成果を生まない貧相なコンテンツであれば意味がない。トレーニングが適切なソリューションでなければ何も始まらないのだ。トレーニングのプロはニーズとギャップの分析に慣れ親しんでいるので、成績優秀な営業担当者の分析を行い、成績上位の営業担当者と中位の営業担当者を分かつ行動を把握することを強くおすすめする。この結果に基づきコンテンツを作成するか、(購入した営業メソッドを使用する場合は)少なくともカスタマイズして上位の営業担当者による模倣可能な行動を反映しなければならない。

学習設計

情報の提示と効果的なトレーニングの設計には大きな違いがある。教育システム設計について調べてみると多くの情報が見つかるはずだ。助けとなる優れたリソースも多く存在する。基本的な推奨事項を記載する。

・コンテンツのチャンク(短いセクションに分けること)、シーケンス(順序付け)、レイヤー(積み重ね）を行い、頻繁に評価する。

- 知識とスキルを区別しコンテンツを混ぜ、非同期型学習（eラーニングあるいは自己主導型学習の手法を使用した、前提知識のトレーニング）と、同期型の講師主導のバーチャルトレーニングや教室で行うスキルベースのトレーニング（実践、フィードバックの繰り返し（ループ）、やり直しを用いた反転授業【訳注：講師が講義をして生徒が復習の宿題をするのではなく、生徒が予習した上で教室では問題を解いたり議論で考察を深めたりする授業のこと】）を組み合わせる。
- できるだけ多くのシミュレーションを使用して現実世界に似た環境を作り、知識とスキルをプロセスおよびワークフローに適用する方法を示す。
- 根拠に基づくパフォーマンスベースの教育システム設計を使用するか、そのような設計ができる人材を雇う。

マネージャーの関与

可能な限り多くの場面で、前線の営業マネージャーを関与させるべきだ（組織の状況によっては制限も出てくるだろうが）。営業マネージャーというのは優れた営業パーソンだったからこそマネージャーに昇進している場合が多く、各トピックの専門家および成績優秀な元営業担当者として、コンテンツに対して有益なフィードバックを提供してくれるはずだ。まずマネージャーのトレーニングを行おう。マネージャーには（営業担当者と同じくらい詳しく）コンテンツを理解し、営業担当者の学習内容を把握してもらう必要がある。そうすればコンテンツに関してマネージャーの賛同を得て、営業担当者に対するトレーニングを支持してもらえるようになる。マネージャー自身はパフォーマンス関連の課題を診断し、営業担当者がトレーニングで学習したベストプラクティスを使用しているかどうかを評価しなければならない。また、営業担当者のトレーニング、知識の維持、スキル適用のサポート、熟達に至るまでのコーチングを行えるよう準備し、やるべきことができる状態である必要もある（営業熟達と行動変容の5段階、図6－3）。

トレーニング職種では、トレーニングコースで学習した内容を現実世界に適用することを「研修転移」と呼ぶ。トレーニング分野での仕事の経験がないセールスイネーブルメント職種の人間にとっては、あまりなじみのない概念だ。営業担当者がトレーニングで教わった内容を仕事で活かし、顧客に適用できるようにするにはどうすればよいのだろうか。

- 営業担当者は、トレーニング担当者が使用してもらいたいと考えている知識とスキルを学習する必要がある。
- 営業担当者は覚えていない内容を仕事に適用することはできない。だからコンテンツを身につけ、知識の保持率を改善するための計画を作成する。これは知識の維持と呼ばれる（多くのツールで知識の維持をサポートするため、感覚反復学習やゲーミフィケーションの原理が活用されている)。

- 営業担当者が自信をつけ、新しいスキルにおけるコンピテンシーを発揮できるようになるほど十分な練習とフィードバックを提供できることは稀だ。仮想練習やコーチングツール、従来のロールプレイなどを使用して、営業担当者が安全な(だが前進的で難しい)学習環境で、フィードバックループ(実践、フィードバック、やり直し、フィードバック、やり直し)を用いて練習できるようにしよう。
- 営業担当者が学習内容を覚えていて実践できたとしても、営業現場で覚えた内容を活用できるとは限らない。営業マネージャーにフォローアップさせ、営業担当者が新たなスキルを仕事に適用できるようにするとともに、これらのスキルの活用を観察してもらうための計画を立てる。マネージャーには「ミーティングのハウツーキット」(マネージャーツールキットやマネージャー向けの実践ガイド)を提供し、営業担当者に概念を植え付け、実際の顧客に対してスキルを使用できるようにするためのミーティングの実施をサポートする。フォーム、ジョブエイド、チェックリストなど、営業担当者が情報を活用できるようにするための文書、つまりパフォーマンスサポートがこの作業の役に立つはずだ。
- セールスイネーブルメントアプリケーションとツール、電子パフォーマンスサポートシステム、またはCRMおよびプロセスワークフローにトレーニングコンテンツを組み込むのもいい案だ。優秀な営業担当者の行動を「自社の営業担当者全員の行動」に変えるためにできることをすべてやろう。

図6－3
営業熟達と行動変容の５段階

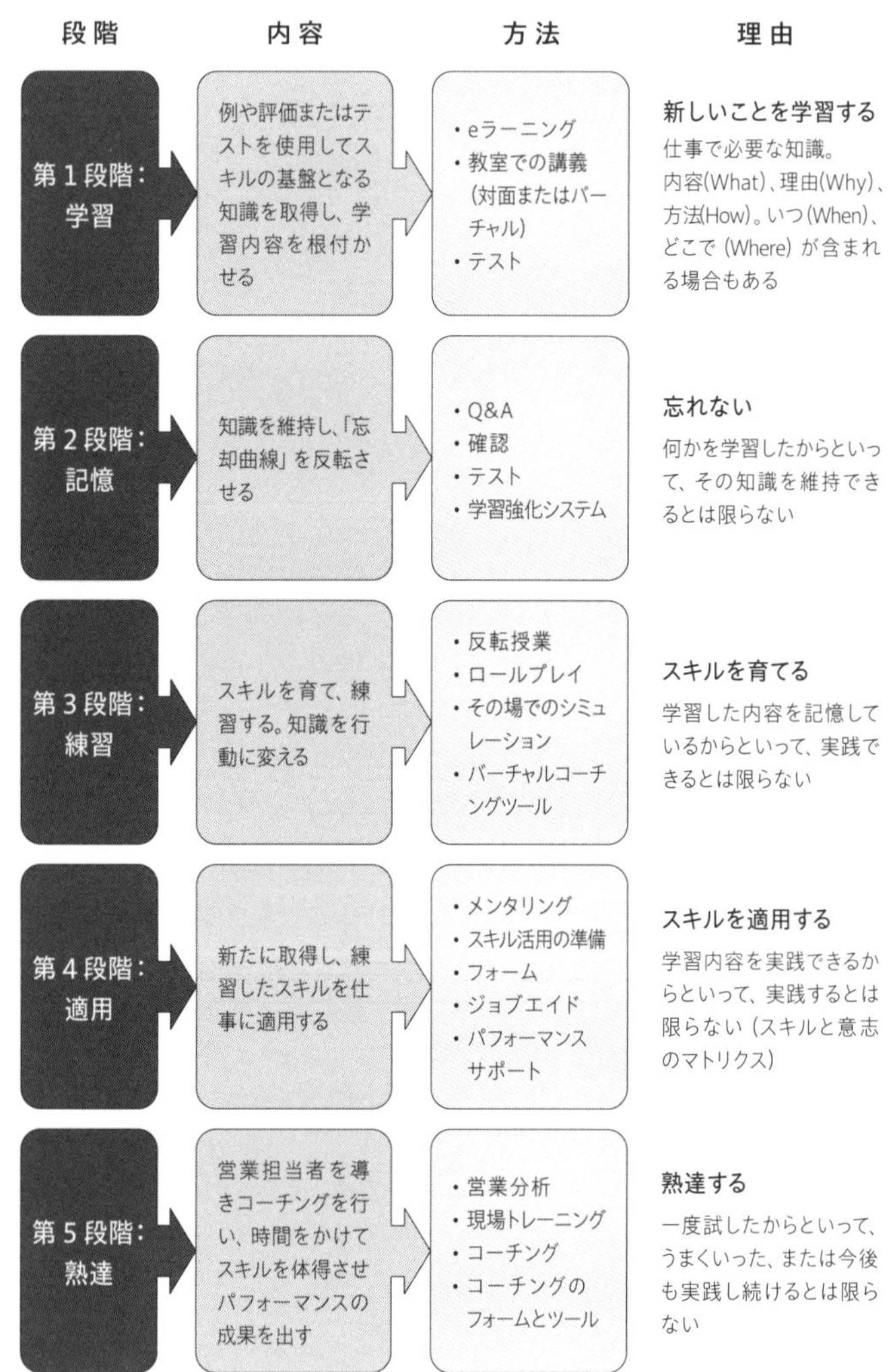

このシステムではフィードバックとコーチングに重点が置かれていることに気付いたはずだ。なんら驚きはない——優れた営業を実現するには、一流の評価型および育成型コーチングのスキルが必要なのだから。

教えられた内容を活用すること（活動）、そしてどれほどうまくスキルを活用できているか（品質）に関するコーチングは、これらの転移計画の主要な一部分だが、スキルを伝達した後もコーチングを通してスキルの維持と上達を実現できる。

営業マネージャーはすでにコンテンツを理解しているはずだが、レポートや分析から学習内容と行動とのギャップを確認し、それらのギャップを埋めるためにどのようなコーチングを行ったらいいかを把握しなければならない。営業担当者とのトレーニングを強化するためのサポート資料を提供し、ギャップ診断の方法に関するトレーニングを行い、できる限り効果的にコーチングを行う方法を教えることをおすすめする。また、マネージャーにチームを管理、リードして複雑かつ課題の多い職務の別の局面で優れた成果を出す方法を教えることも可能だ。これについては、営業マネージャーイネーブルメントの章（第13章）で詳しく紹介する。

測定

測定したことは実行可能だと誰もが知っている。だからこのトピックを素通りする手はない。測定によって、何を成功とするかや、望ましい成果が得られているか方向転換が必要かを見極めるために結果を監視する方法が決まる。

測定の留意事項を紹介する。

- 先行指標（結果に向けての進歩を示す事柄）と遅行指標（最終結果）の両方を含める
- 営業担当者が学んだ内容を測定する（進捗レポート、学習テスト、フィードバック文書など）
- トレーニング後のパフォーマンス結果を測定する（トレーニングした行動に関する進歩または結果を示すコーチングセッションと指標）

測定計画については、９つ目のビルディングブロック「営業分析と指標」（第10章）で詳しく触れている。

パフォーマンス管理

ＡＴＤが２０１６年と２０１９年に公開した「営業トレーニングの状況」報告書によると、効果的な営業トレーニングに対する最も大きな障壁は、営業担当者がトレーニングで得たスキルを実務に適用する責任を負っていないということだ。この指標の数字は、２０１６年（50％）と比較して２０１９年の報告書（59％）では悪化しているが、どちらも期待値が明確でないことやパフォーマンス管理不足が原因である。このまま放置するわけにはいかない。

すべての組織は、トレーニングの転移とトレーニング後の成功を実現するために必要な転移プランと育成型コーチングだけではなく、優れた営業パフォーマンス管理システムを採用する必要がある。（営業担当者が）トレーニングで教えられた内容を使用し、（営業マネージャーが）それに基づき営業担当者のコーチングと育成を行うことは、組織の継続的なパフォーマンス管理の一環であるべきだ。前線の営業マネージャーと営業担当者はどちらも実行責任を負うべきだし、エグゼクティブのリーダーは営業リーダーに実行できているかどうか尋ねる必要がある。

チェンジマネジメント：統合型かつ連携型の変革プラン

変化が勝手に起きるとお考えだろうか？　そんなことはないとわかっているはずだ。営業パフォーマンスの改善施策とはチェンジマネジメントプロジェクトなのだと話すと、誰もがうめき声をあげるが、これは事実である。

使用すれば結果を改善できるコンテンツを作成、または選択したなら、それらの成果を得るために必要な変革を導き管理するためのプランを作成するのは当然だ。これは、次に挙げる事柄のいい起点となる。

・営業トレーニングシステムのさまざまな要素をまとめる
・すべての関係者をこれらの要素において連携させる
・営業担当者とマネージャーにトレーニングと強化学習を提供する
・追跡（測定とレポート）を継続し、望ましい成果を得られるよう注力する
・期待値、結果、課題、転換、成功、施策にフォーカスし続けるために必要なことを、変化が企業文化に根付きルーティン化されるまでしつこいほど伝え続ける

ジョン・コッター【訳注：ハーバード・ビジネススクール松下幸之助記念講座名誉教授。訳書に『企業変革力』（梅津祐良訳、日経BP、2002年4月）など】の変革の8段階プロセス、ProsciのADKAR、マッキンゼーの7Sフレームワーク。どのモデルを使用するにしても、主要な営業パフォーマンス改善施策を変革プロジェクトとして管理しよう。これらは変革プロジェクトなのだから。

バーチャル学習について

新型コロナ感染症が公共衛生と経済に与える影響のみならず、その結果としてのロックダウンも、営業および人材育成の職種に甚大かつ即時的な影響を与えた。たとえばバーチャル営業やバーチャルトレーニングへの移行がただちに始まった。ほぼ一晩にしてすべての営業担当者がインサイドセールスに変わり、トレーナーとセールスイネーブラーはみなバーチャルトレーナーとなった。

現代のテクノロジーを使用すれば、バーチャル環境を活用したいと考え、その環境の潜在的可能性を最大化する設計の才を持つすべての人にとって、バーチャルの営業オンボーディング、バーチャルの営業トレーニング、またはバーチャルの営業キックオフ（ＳＫＯ）へのなめらかな移行は可能になると私は言い続けている（バーチャルＳＫＯ仮想ＳＫＯの場合は、適切なバーチャルカンファレンスソフトウェアへの投資も必要かもしれない）。

教室での講師によるトレーニングあるいは1か所でのイベントを続ける理由をいくつか挙げる。ほとんどが社会的なものだ。

- 本社訪問によって従業員のやる気を向上させる
- エグゼクティブなどとの無計画の雑談を含むやりとり
- 食事など企画された社交イベントでの企業のリーダーやオンボーディング仲間とのボンディング

・バーチャルトレーニングやカンファレンスプラットフォームに関連する費用、効果的なイベントを実現するためにプログラムを再設計するのにかかる時間と手間
・バーチャルイベントが現実のイベントと同じくらい効果的であると思わない人、またはバーチャルイベントなど意味がないと考えている人による社内での社会的圧力

概要

この章では、システムが変革をもたらすのだと説明した。４つのシステムのうち、セールスレディネスシステムと営業トレーニングシステムの２つについて紹介し、これらの要素が連携してトレーニングと営業パフォーマンスの改善を支えていることを示した。セールスレディネス活動の有効性はこれらの要素と実践によって決まるが、すべての営業パフォーマンス改善施策は基本的にチェンジマネジメントプロジェクトであることを覚えておいてほしい。変革の準備を行い、変革を導き、変革を根付かせる。この章の最後の要素であるパフォーマンス管理はコーチングに、そして営業コーチングのビルディングブロックにつながる。

第7章 営業コーチング

営業コーチングとは、営業チームのパフォーマンスに多大なプラスの影響を与える可能性を秘めた、本質的で重要なテーマである。しかも、必要不可欠なビルディングブロック（構成要素）でもある。営業コーチングに特化して書かれた本も出版されているので、本書では実際的な変化をもたらすのを私自身が経験した特徴だけを紹介する。

より詳しく知りたい場合は、私が作成した営業コーチングの成功に関するコースをＳＰＡＲＸｉＱで確認していただきたい（推奨リソースと参考文献の一覧は、付録を参照のこと）。

営業コーチングとは

全体を俯瞰した場合、営業コーチングとはパフォーマンスを改善するために営業マネージャーが営業担当者とパートナーシップを組む公式な育成プロセスを指す。営業マネージャーは、営業担当者による改善が必要な分野の特定、アクションプランの作成、パフォーマンス改善に向けたステップの実行をサポートすることによって、担当者が自身の成長に責任を持てるよう励ます。何をすべきか指示するのではなく、営業担当者のガイド役となり、目標達成に最適な戦略の発見をサポートしてパートナーシップを育む。効果の高い営業コーチングの開発プログラムを構築するには、コーチングの内容、方法、理由を把握しなければならない。不思議に思う方もいるかもしれないが、このビルディングブロックには現場トレーニングも含まれている。ただしこれはトレーニング部門、人事部門、営業イネーブルメント部門ではなく、営業マネージャーが実施するトレーニングだ。

第一級の営業チームを育てようと思ったら、前線の営業マネージャーはこのようなことを行う必要がある。

- 営業担当者のパフォーマンスを分析する
- 最高の結果を得るためには限りあるコーチングの時間を何に使えばいいかを決定する
- 最適なソリューション（トレーニングまたはコーチングなど）と、最適なソリューションコンテン

ツを決定する

○営業担当者による対象分野でのパフォーマンス最大化をサポートする方法を特定する

○営業担当者が成功するために必要なスキルを身につけられるようトレーニングを提供する

○営業担当者を関与させ、やる気を上げるコーチング手法を用いてより大きな成果へと導く

・定期的なコーチングのリズムを築き、営業担当者が営業に熟達し最高の成果を得られるようサポートする

この章では、これらの実現方法について説明する。

影響に関する指標を用いる

本章の目標は、営業分析を用いて、チームのパフォーマンスに最高の影響を与えるコーチング時間の使い方を決定しようとしている営業マネージャーをサポートすることだ。

営業担当者との個別の作業を計画しているとき、多くのマネージャーはこのような発言をする。「やあルース、○月○日なら営業先に同行できそうだ。この日はどこに行く予定だい？」。だが、賢いマネージャーなら、より大きな影響を生むためにこう発言するはずだ。「やあルース、最新の分析を確認したんだが、［ステージ2］の案件を［ステージ3］に移行させる会議に同席しよう。いつスケジュー

ルするのがいいかな?」
営業担当者の指標と分析を確認すれば、マネージャーは最高のパフォーマンス改善につながる育成分野に的を絞ることができる。

マネージャーによるこのタスクの実行をサポートするレポートやダッシュボードは複数ある。おそらく自社ですでに導入済みのものも多いはずだ。私は営業プロセスの段階、一定期間における段階ごとの商談の数（通常は平均営業サイクルの2～3倍）、段階間のコンバージョン率を含む履歴ダッシュボードを作成するのが好きだ。営業チームを、名前がわからない状態にして成績優秀者と平均に分け、その結果を特定のマネージャーのチーム（ここでは名前がわ

図7－1
バックミラー：パイプライン分析

商談管理：営業プロセスのコンバージョン

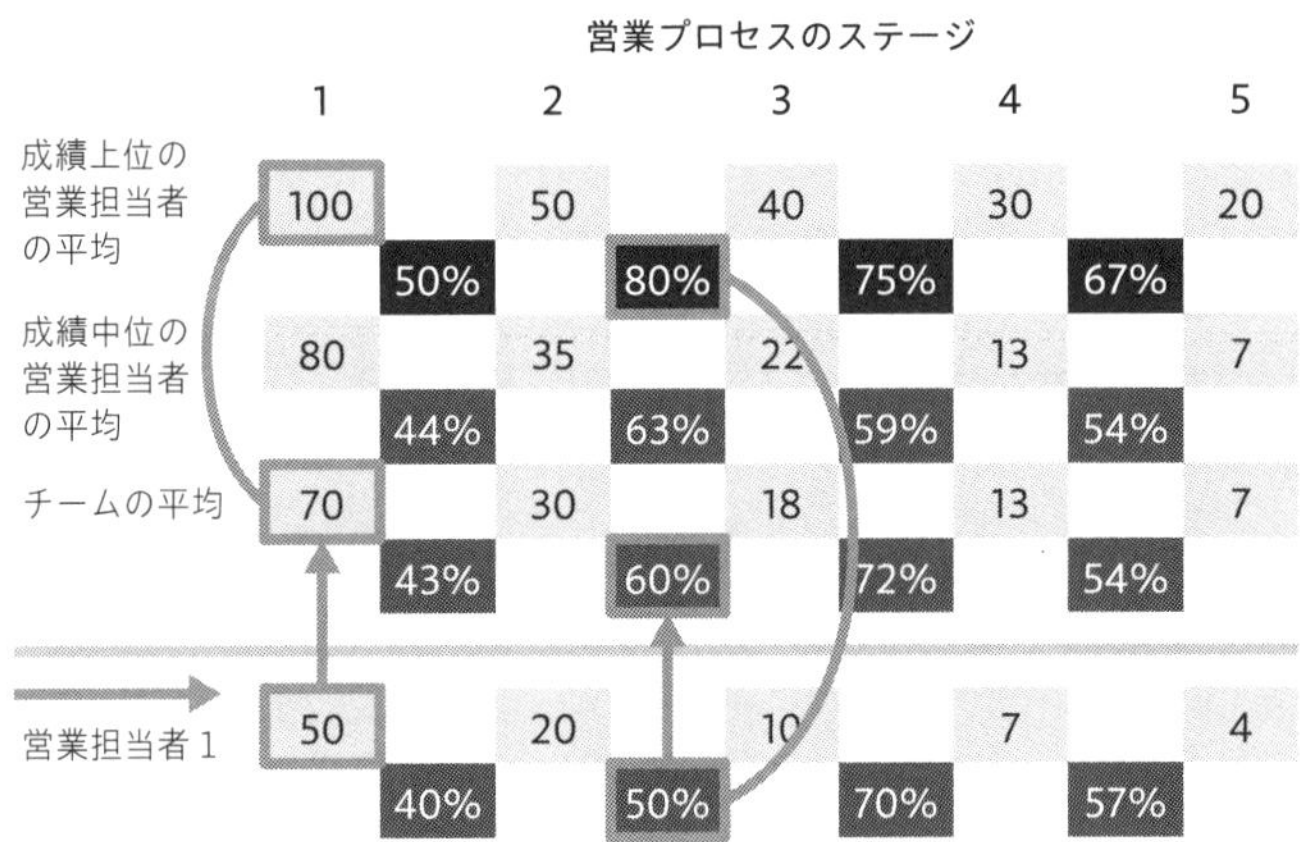

かる状態にする）と比較してチームの平均パフォーマンスと各営業担当者のパフォーマンスを表示する（図7－1）。

個々の営業担当者をチームの平均および他の営業担当者と比較する際、マネージャーはすばやく差を特定する必要がある。その後こちらに記載した手法を用いてより詳しく確認する。このレポートは背景や状況（自社独自のビジネス環境）に応じて変更可能だが、変更の可否については経営層やビジネスアナリストと決定するべきだ。また、これは一例に過ぎず、事業開発担当者や戦略アカウントマネージャーを管理している場合には該当しない。重要なのは思考プロセスであり、チームのすべての職務でこのような分析を行う方法を見つけられるはずだ。

活動とメソッド

ＲＯＡＭモデルを使用して対象となるパフォーマンスを分析すると、根本原因と潜在的なソリューションについて仮説を立てられる（図7－2）。

ＲＯＡＭは次のステップから構成される。

- **ＲＯ**：結果（Result）と目標（Objective）を比較（成果の差を確認）して注力すべき分野を決定する。これは営業指標の振り返りの一部である。

・A：営業担当者が実施している活動（Activity）を振り返るか、話し合う。これには実施内容、対象者、頻度、（可能な場合は）タイミングと場所が含まれる。

・M：顧客対面型の活動に用いられている営業メソッド（Methodology）を振り返るか、話し合う。実施中の活動がうまくいっているかどうかや営業の質のチェック。

営業担当者の行動に関する過去の知識と現在の議論をもとに、マネージャーはパフォーマンスに関する問題の仮説を立て、状況を深掘りする。

図7－2
ＲＯＡＭを使用してコーチング内容を分析する方法

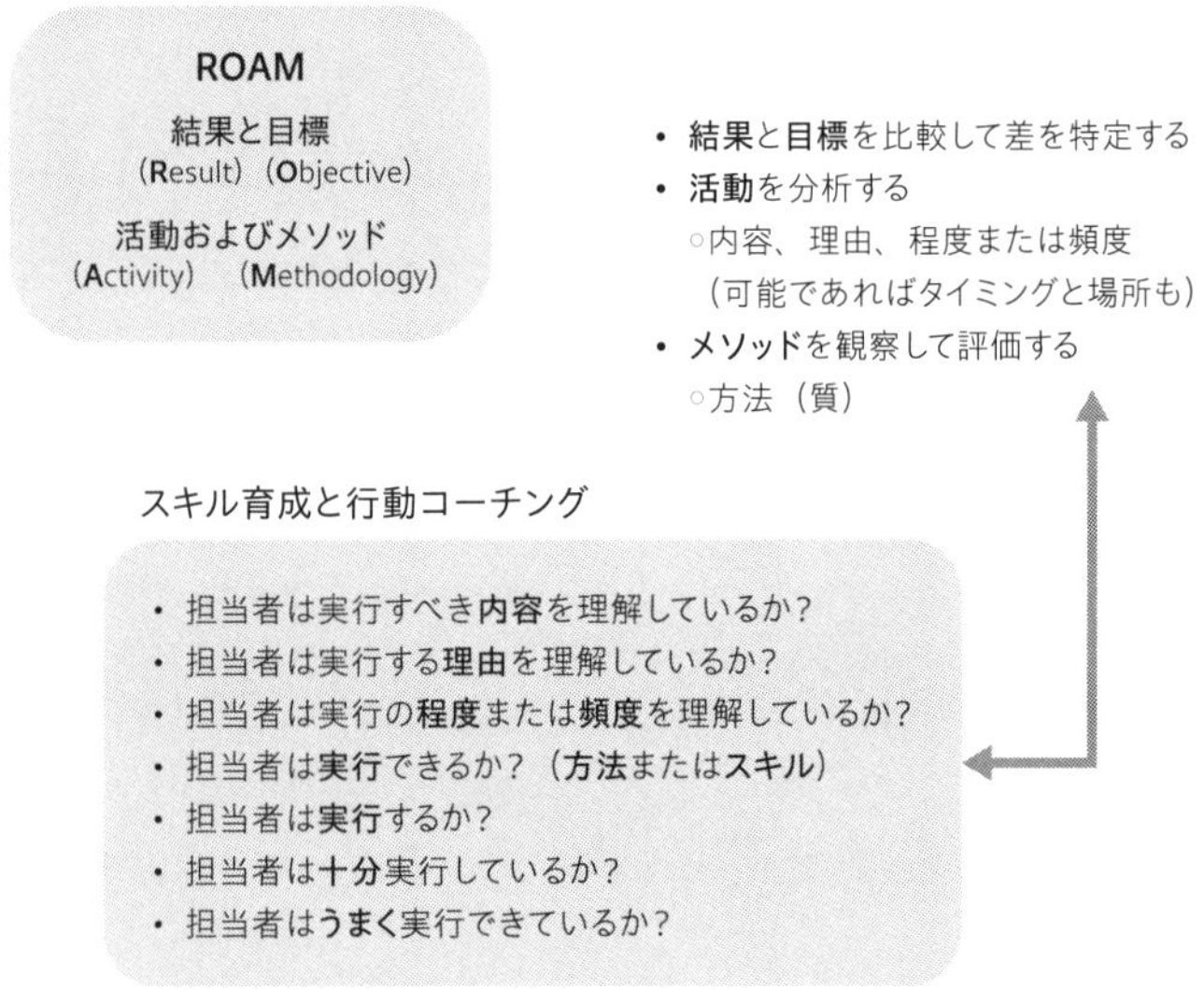

根本原因

ROAMのA（活動）とM（メソッド）を確認するにあたり、マネージャーは話し合い、営業担当者の活動に関する現時点での知識、対象となる分野で営業活動中の営業担当者を観察するために使用する既存のメソッドの枠を超えて、新たな観点を得なければならない。活動と営業メソッドを観察すると、仮説を裏付け、根本原因に関する知識やスキルの不足を特定できる。

ソリューションの種類とコンテンツ

その後マネージャーはパフォーマンスが振るわない理由に基づき、最適なソリューションを特定する。最適なソリューションとは、差を埋めるソリューションの種類（トレーニング、コーチングなど）およびベストプラクティスのコンテンツだ。

図7－3には先ほど紹介した主要な質問が含まれており、現場トレーニングと営業コーチングが交差する箇所が示されている。

これは簡素化して実施してもうまくいくが、私はファーディナンド・F・フーニーズ【訳注：ビジネスコンサルタント。営業メソッドに関する書籍を多く執筆】の著書『*Why Employees Don't Do What*

図7－3
スキル育成と行動コーチングに関する主要な質問

スキル育成と行動コーチング

- 担当者は実行すべき**内容**を理解しているか？
- 担当者は実行する**理由**を理解しているか？
- 担当者は実行の**程度**または**頻度**を理解しているか？
- 担当者は**実行**できるか？（**方法**または**スキル**）
- 担当者は**実行**するか？
- 担当者は**十分**実行しているか？
- 担当者は**うまく**実行できているか？

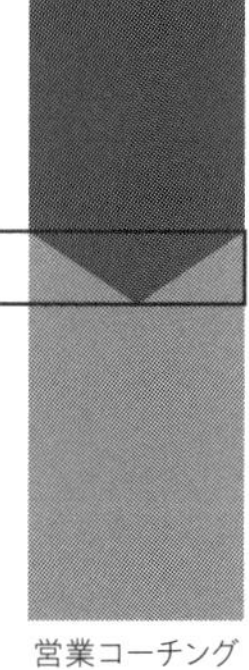

They're Supporsed to Do and What to Do About It（従業員がやるべきことをやらない理由と対処法）（未邦訳）』に基づくパフォーマンスグラフの状況、理由、ソリューションを導入して、パフォーマンスが振るわない原因を説明することがある。原因にはトレーニングやコーチング以外の理由も含まれる（図7－4）。

図７－４
パフォーマンスの状況、理由、ソリューション

パフォーマンス分析とソリューション設計

従業員がやるべきことをやらない16の理由と対処方法

状況	理由	ソリューション
知らないことがある	実行すべきこと 実行すべき理由 実行する方法	トレーニング コーチング
誤った考え方	彼らのやり方のほうがいい きみのやり方ではうまくいかない もっと重要なことがある すでに実行している（フィードバック不足）	コーチング または カウンセリング フィードバック
正しく連携されていない結果	実行したことによりマイナスの結果が出る 実行しなかったことによる悪影響はない 実行しなかったことによりプラスの結果が出る 実行したことによる好影響はない	結果の管理
制限	制御できない障害 個人的な制限（能力不足） 恐れ（失敗の不安） 個人的な問題 誰も実行できなかった	カウンセリング 変更 移行 終了

カウンセリング、結果の管理、組織内の何らかの変更、従業員の異動または解雇は現場トレーニングおよび営業コーチングのスコープ外だが、場合によっては検討可能なオプション。必要に応じて人事部長を関与させる。

現場トレーニングとコーチング

この時点でマネージャーが現場トレーニングまたは営業コーチングを用いて対処可能なパフォーマンスのギャップを特定したとする。その場合、次のモデルを使用して営業担当者によるスキル熟達とパフォーマンス改善をサポートできる（図７－５）。

現場トレーニングモデルを使用して行うのは次の４つだ。

- **伝える**：振り返りと理解度チェックを含む指示
- **示す**：スキルの検証を用いたデモンストレーション
- **実行する**：実行と追跡を伴うアクションプラン

図７－５
ＲＯＡＭ

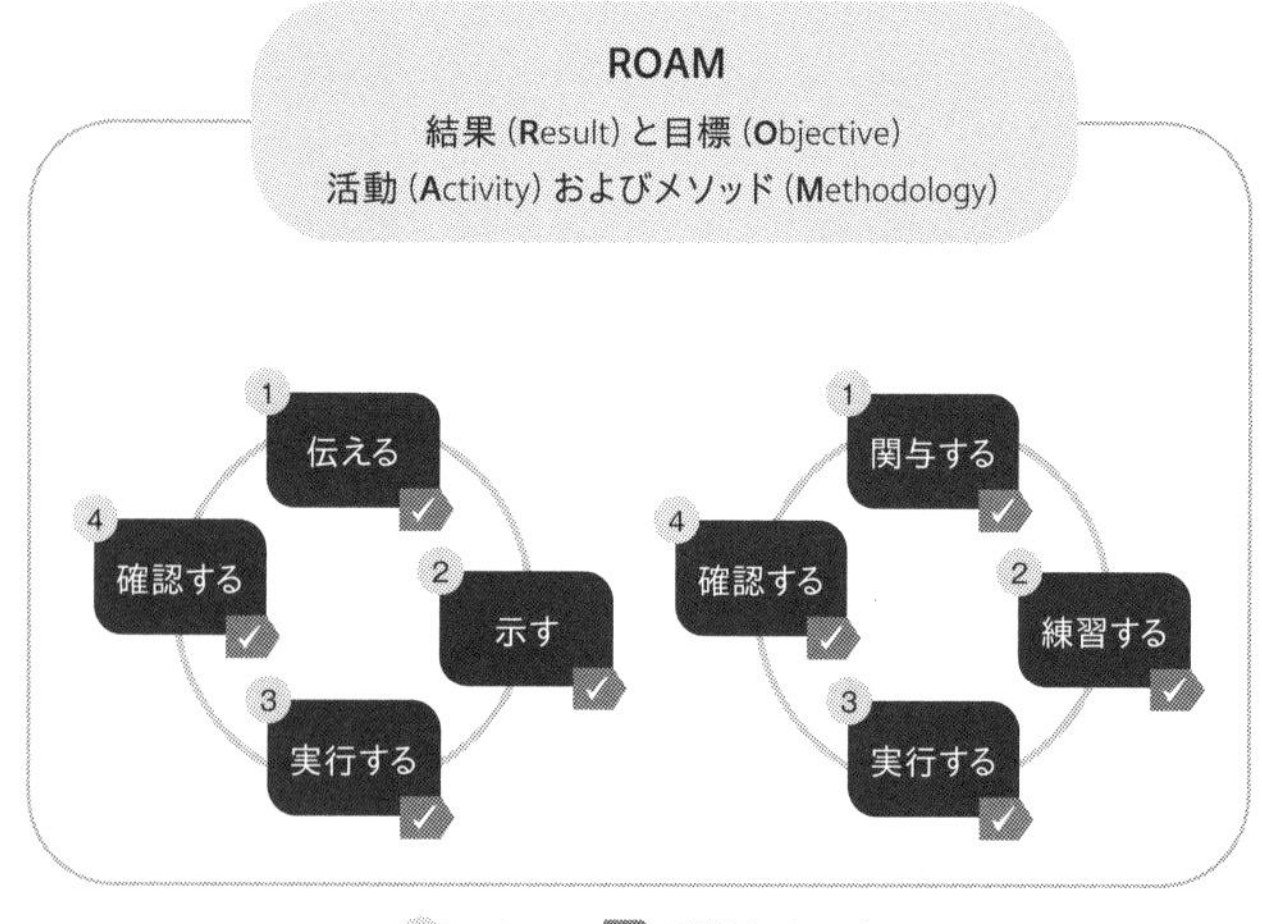

・**確認する**：ＲＯＡＭを確認し、必要に応じてトレーニングとコーチングを繰り返す
営業コーチングモデルを使用して行うのは次の４つだ。
・**関与する**：改善内容と方法に関する円滑な参加型の話し合い
・**練習する**：ロールプレイの練習（振り返りとフィードバックを繰り返す）
・**実行する**：実行と追跡を伴うアクションプラン
・**確認する**：ＲＯＡＭを確認し、必要に応じてトレーニングとコーチングを繰り返す

現場トレーニングを行う方法

次を達成したら、現場トレーニングを実施できる。
・分析を実施して影響を与えることのできる分野を把握した
・既知のベストプラクティスと比較して活動とメソッドを分析することで、パフォーマンスのギャップを診断した
・営業担当者が把握すべき方法、理由、および活動とメソッドを改善して、ギャップを埋める方法を特定した
現場トレーニング用に「伝える、示す、実行する、確認する」からなる現場トレーニングモデルと、

図7－6
現場トレーニングモデル
（伝える、示す、実行する、確認する）

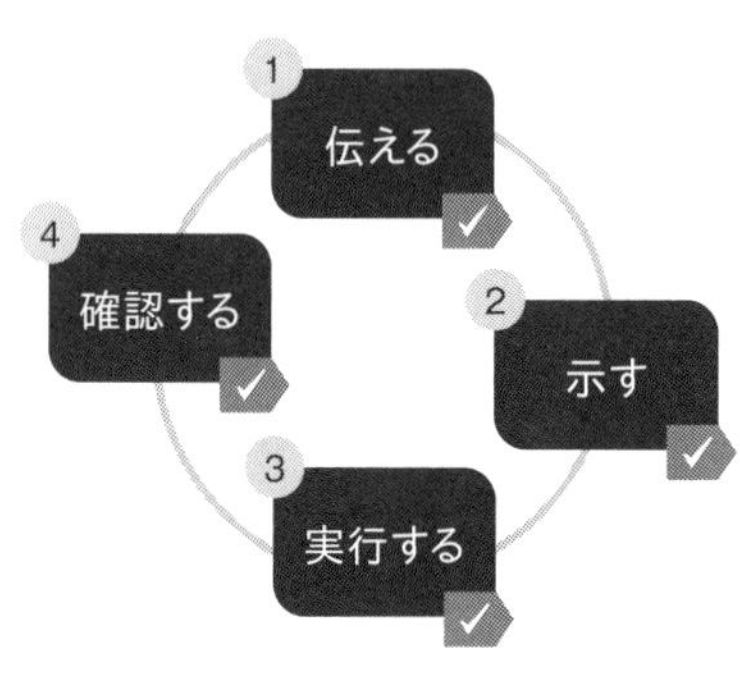

すぐに使えてコミュニケーションもスキルも検証可能な理解度チェックを紹介する（図7－6）。シンプルだが強力なこの検証テクニックは、成功に不可欠にもかかわらずほとんど活用されていない。

このモデルは新しくもなければ複雑でもない。実際に役に立つ。ただし、使用にあたってはコツがある。4つのステップをきちんと実行することだ。

まず、営業担当者に何をすべきか「伝える」。その際、コーチングではなくトレーニングを行っているのだと肝に銘じよう。トレーニングでは指示ができるので、営業担当者は実行すべき内容、理由、方法を明確に理解する。また、営業担当者を積極的に関与させ、すでに知っている事柄を示してギャップを埋めさせるのも非常に効果的だ。最終的に、最も重要な成果とは営業担当者にしてほしい内容を伝え、合意を得ることである。その後、理解度チェックを使用して、期待されている行動は何かを営業担当者にまとめてもらおう。満足のいく回答が返ってくるまでは、このステージを完了としてはならない。

次にスキルベースの学習では、どのような営業活動を行うべきかロールプレイなどで示す。ロールプレイがこのステップに適しているのは学習者の視点から状況を管理できるからだ。必要に応じて顧客とのやりとりを見せたり、何をすべきかをうまく実演できる人とのロールプレイをさせたり、目的であるスキルをきちんと身につけた成績上位の営業担当者の仕事に同席させたり、動画でのデモンストレーションがある場合はそれらを使用したりできる。マネージャーとのリアルタイムのロールプレイが有益で効果も高いのでおすすめだ。その後、理解度チェックではそのスキルをマネージャーに対してロールプレイで実践してもらう。それによって営業担当者はスキルを理解するだけでなく「実践できる」ようになる。とはいえ実際の業務でもそれを「必ず実践する」ようになるとは断言できないが、実行しようと思えばできる段階までもっていける。

このステップを対面で行えない場合は、動画やバーチャルコーチングツール、ライブのバーチャルロールプレイサービス、ウェブカムを使用したウェブ会議ソフトウェアなどを活用して実践とフィードバックをサポートする。

「実行」ステージでは、マネージャーまたは経験豊富な営業担当者が電話や対面において、その場で（実際の営業の状況下で）スキルを提示する。このステップはスキップしてトレーニング対象の営業担当者によるスキルの適用に直接移動することもあるが、私はまず、予期せぬことが発生し得る実際の営業環境以外の場所で、効果的にスキルを使用する方法を営業担当者に示したほうがいいと考えている。このステージの理解度チェックでは、マネージャーは見込み客または顧客と同席した営業担当者を観察する。すると営業担当者が期待値を明確に理解しているかを評価し、実際の営業活動でスキルを適用できて、適用しようとしていることを検証できる。また、営業担当者のスキルの適用レベルを確認し、スキルの完全な熟達に向けてコーチングを行うことも可能だ。

図7－7
現場トレーニングの繰り返し確認

誰（Who）	コーチと営業担当者
内容（What）	電話、バーチャル会議、対面会議
理由（Why）	最も優れた営業担当者もパフォーマンス改善のために優れたコーチを必要としているから
方法（How）	・結果と目標を確認する ・活動を振り返り、話し合う ・メソッドについて話し合い、観察する ・身につけたいスキルを磨き続ける ・必要に応じてパフォーマンス目標を再設定する ・アクションプランを作成する ・再度実行する

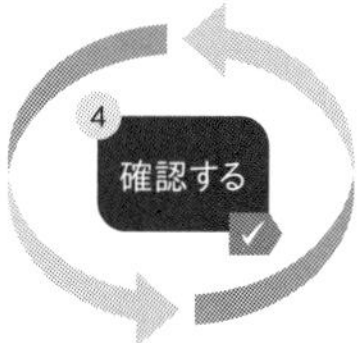

4
確認する

破綻することなくこれらの3つのステージを完遂できないのであれば、現実世界でもスキルをしっかり、定期的に、あるいは完璧に活用することはできないだろう。

現場トレーニングで学習した内容を営業担当者が実際の現場で利用することがあったとしても、体得したことにはならない。そこで「確認」ステージが必要となる。現場での営業活動の観察の後、マネージャーは営業担当者と会って話し合い、一緒にパフォーマンスを評価する。これも全体的なトレーニングプロセスの一部である。習ったばかりの特定のスキルまたはスキルセットを対象としているからだ。ここで現場トレーニングがコーチングとうまくかみ合う。また、必要に応じて確認フェーズを延長し、営業担当者が教わったスキルに熟達するまで定期的な確認を行ってもいい（図7－7）。

「伝える、示す、実行する、確認する」という現場トレーニングモデルが重要な理由をまとめる。

・期待値が明確になり、営業担当者に不足しているパフォーマンスを改善するために必要なスキルを伸ばすことができる

・営業担当者の言い訳を排除できる。自分が実行すべきことを理解し、実行する方法を把握しているのだと営業担当者が示すところを観察できるので、信頼性が増す

・この時点で投資しておけば、将来的にこれらの能力にかける手間を削減できる。効果の少ないことを繰り返し実行するのではなく、正しいことを一度だけ実行すべきだというのが私からの助言だ

営業担当者が「伝える、示す、実行する、確認する」という現場トレーニングのサイクルで教えられたスキルを使用しない、またはうまく活用できないなら、マネージャーは次を行うといい。

・コーチングを行って営業担当者の知識を増やす
・パフォーマンスグラフの状況、理由、ソリューションを使用し、必要に応じて対処することでパフォーマンス不足の他の理由も探る

営業コーチングを行う方法

コーチングの方向性を決定し、ROAMでパフォーマンスの課題を診断したら、トレーニングやコーチングを行うか、パフォーマンスグラフの状況、理由、ソリューションに基づき他のソリューションを適用する。

「伝える、示す、実行する、確認する」という現場トレーニングと理解度チェックを行った後（営業の熟達を実現するため）、営業コーチングが必要かどうかを判断する。あるいは最初にコーチングを行うことで解決できる課題を発見するかもしれない。トレーニングが完了してから従業員のコーチングを行うことも可能だ（その時点で従業員は「実行できる」ようになっているが、「向上する」必要があるからだ）。適切なソリューションがスキルコーチングである場合、「関与、練習、実行、確認」

からなる営業コーチングモデルと理解度チェックを使用する（図７－８）。

１つ目の「関与」ステップでは営業担当者と改善の可能性に関する円滑な話し合いを持つ。改善の必要がある領域や、連携して改善を達成する方法などについて議論する。以前のトレーニング計画を踏まえて話し合いを行う場合、目的はすでに特定されている。そうでない場合は新たな診断と計画から始める（あるいはすでに診断と計画を完了したところかもしれない）。

図７－８
営業コーチングモデル
（関与、練習、実行、確認）

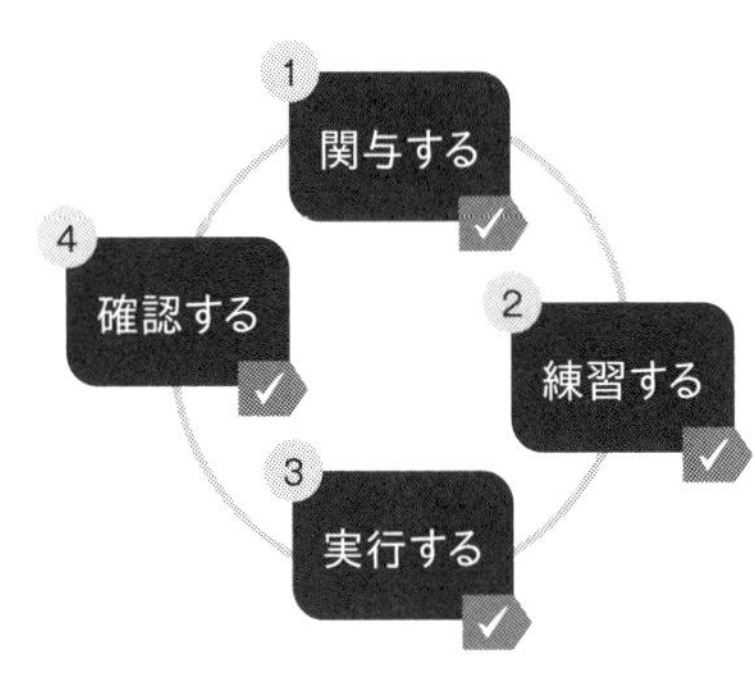

これは、営業担当者に実行すべき内容、理由、方法を教える現場トレーニングとは異なる。トレーニングの場合も営業担当者のエンゲージメントと積極的な関与が重要だが、コーチングのプロセスはより前向きかつ協調的で、参加型だ。マネージャーはガイドの役割を担い、営業担当者が前向きに取り組み、考え、問題を解決し、積極的に参加し、最終的にはソリューションに責任を持つ（この場合のソリューションとは改善内容とその方法である）

よう仕向ける必要がある。

コーチとしてマネージャーが行うことを紹介する。

・質問によって営業担当者が興味関心を持ち、積極的に関与し、コミットメントするよう促す

・オンボーディング、現在進行形のトレーニング、以前の経験、コーチングセッションにおけるベストプラクティスに関する営業担当者の記憶を引き出す

・成績上位の営業担当者に引き合わせるか、彼らによる顧客との電話の録音や会議の録画を見せ、新しいアイデアやベストプラクティスを紹介する

このステップを終了する頃には、営業担当者は対象スキルを改善するために何をするべきか明確に理解し、理解度チェックでその内容をまとめられるようになっているはずだ。

2つ目の「練習」ステップでは対象スキルに磨きをかけ、「関与」のステップで話し合い、合意した内容を実践するために準備を行う。これは現場トレーニングモデルの「示す」ステップとよく似ているが、こちらではマネージャーがまず新しいスキルを営業担当者に示すのではなく、営業担当者がまずそのスキルをマネージャーと練習して、既存のスキルまたは新たに獲得したスキルを磨く。デモンストレーションが必要だと思うのであれば役割を交代してもいいが、これは営業担当者が練習を積むための時間だ。他のステップ同様、まず練習した内容に関する感想（うまくできたこととさらなる改善が必要なこと）を営業担当者から聞き出してから、フィードバックやアドバイスを与える（少な

くとも初回は、フィードバックをしてもいいかどうか尋ねることをおすすめする)。営業担当者によって提示されるスキルのレベルに満足がいくまで、練習、感想、フィードバックのサイクルを続ける。

３つ目の「実行」ステップでは、営業担当者にアクションプランを記録、実行してもらう。営業担当者がプランを試し、過ちを犯し、学び、そして修正する機会を与えよう。営業担当者がプランを実行する際は、次のアポイントの前でも彼らが必要に応じてサポートを得られるようにする。質問に答えたりアドバイスを提供したりして、初回のトライの準備をサポートする。状況によっては観察やコーチングを通してアクションプランの実行をサポートする。ただし、診断、計画、実行、確認からなる完全なサイクルに戻るのではない。営業担当者がプランを実装するにあたってサポートを提供する方法なのだ。このステップは確認ステップへのなめらかな移行段階のようだが、そうではない。ここでは営業担当者が合意に基づきプランを実施する際に理解度チェックを行う。実行が理解を深めるからだ。だが、理解度チェックを行ったからといって欠点がなくなるわけではない。これは育成コーチングなので、営業担当者がスキルを体得する前に徐々に行動を変化させるための手助けをする必要があるだろう。

最後の「確認」ステップでは営業担当者と会って、計画どおりにコーチングを行う。内容としてはプランの成果および結果の確認だ。このセッションでは詳細について聞き、質問をし、何が起こったか理解するために情報を収集し、営業担当者の実行内容がどれほどプランに沿ったものだったかを評価して、どのような結果が出たか確認する。営業担当者がどのようにスキルと結果を改善したかに基づき、もう一度診断、計画、実行、確認のサイクルを回す必要があるか、あるいは少なくともROAMを行うか、パフォーマンスグラフの状況、理由、ソリューションから代替を検討する必要があるかを決める。それから理解度チェックを使用してコミュニケーションをとり、追加の計画や今後行うことに関して合意する。

現場トレーニングの確認ステージの拡張に似ているが、まったく同じではない（図7－9）。

図7－9
繰り返しの確認を用いて確認フェーズを拡張する

誰（Who）	コーチと営業担当者
内容（What）	電話、バーチャル会議、対面会議
理由（Why）	最も優れた営業担当者もパフォーマンス改善のために優れたコーチを必要としているから
方法（How）	• **結果**と**目標**を確認する • **活動**を振り返り、話し合う • **メソッド**について話し合い、観察する • 身につけたいスキルを磨き続ける • パフォーマンス目標を再設定する（必要な場合） • アクションプランを作成する • 再度実行する

個別のコーチングセッションを行う方法

この章では、改善の必要がある分野の診断と、ソリューションおよび状況に基づく使用モデル決定のプロセスに焦点を当てている。コーチが営業コーチングのプロセスのみに注力しており、話し合いを円滑に進めて積極的に関与し、営業担当者を導く能力が欠けている場合、望ましい結果が得られない可能性がある。卓越した営業コーチングにはロジカルなプロセスと優れた対面スキルの両方が必要なのだ。

トレーニングではなくコーチングを行っている場合、質問をしながら話し合いを進め、ガイド役とならなければなら

図7－10
ＳＬＥＤモデル

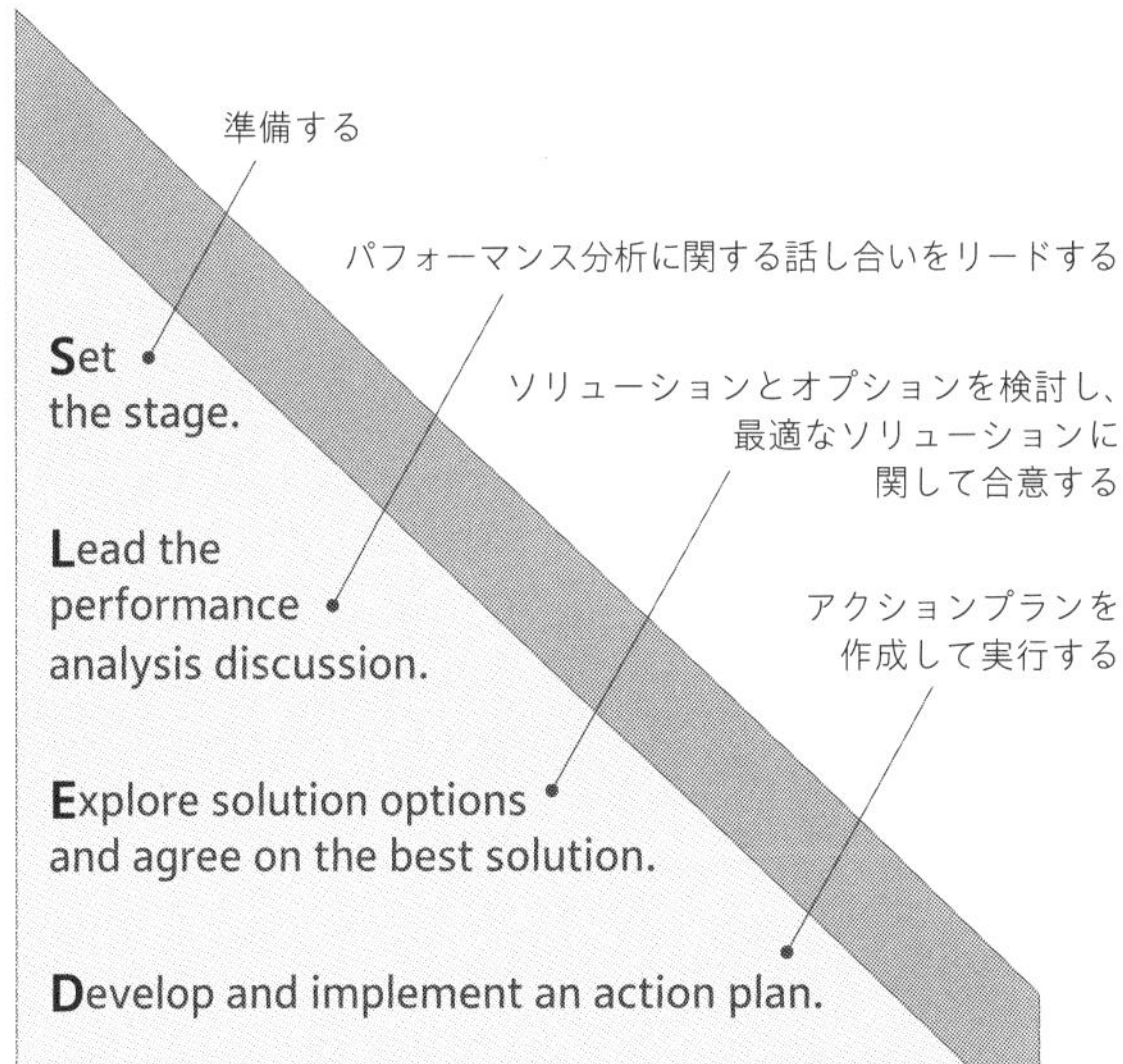

ない（どう考えても必要である場合を除き、営業担当者に何をすべきか命令したり指示したりするのではなく、営業担当者による事実の発見をサポートする）。このような個別コーチングセッションの展開に効果的なのがＳＬＥＤモデルだ（図７－10）。

準備する

まず、一緒に時間を過ごしている理由について話し合い、双方がその理由を明確に理解することから始める。そのためには、セッションの目的、計画、価値、タイミングについて意見をすり合わせる。

- 役割が理解されていることを確認する。営業担当者は自己成長に責任を持つ。コーチはガイド役を務める
- マネージャーの意図が理解されていることを確認する。マネージャーの目的とは、営業担当者による目標達成と可能性の最大実現のサポートだ
- 信頼関係を築く。営業担当者がこのプロセスを一度も経験していない場合、信頼関係を築くまで時間がかかる可能性がある

パフォーマンス分析に関する話し合いをリードする

2つ目のステップで行う内容を紹介する。

・マネージャーと営業担当者でアポイントの準備を行い、一緒に営業分析（営業指標または営業コンピテンシーの診断）を確認する方法について話し合う
・期待値や対処すべき課題について方向性を一致させる（埋める必要のあるコンピテンシー不足、「内容と理由」を含む）

ソリューションとオプションを検討し、最適なソリューションに関して合意する

3つ目のステップでは、次を行う。

・必要に応じて現場での観察またはさらなる診断をスケジュールして、双方が合意した仮説を確認する
・必要または取得可能なすべてのデータが揃ったら、ソリューションの選択肢を検討し、最適なソリューションを選ぶ。指示するのではなく、営業担当者を導き円滑に進めること。営業担当者が行き詰まった場合はこちらから提案してもいいが、これは話し合いの場なのだと肝に銘じる

・必要に応じて現場トレーニングや営業コーチングセッションを提供またはスケジュールし、スキル育成とパフォーマンス改善をサポートする

アクションプランを作成、実行する

このステップでは誰が、何を、どのように、いつまでに行うかを含める。それに加え、次の3点の実行をおすすめする。

・従業員のやる気要因について検討し、プラン成功の可能性を最大化する
・パフォーマンスの目標が達成されるまでフォローアップを行い診断、計画、実行、確認のサイクルを回す
・SLEDを使用して個別のコーチングセッションを実行する

周期的なコーチングを導入する方法

営業分析、ROAM、コーチングプロセス、アクションプランを用いた現場トレーニングや営業コーチングのアウトプット、SLEDモデルに関する詳細な説明を読んできた方は、私が紹介した育成コー

チングにはかなりの時間と手間がかかると踏んでいるかもしれない。

確かに新たなスキルを学び、体得するにはかなりの時間と努力を投資する必要がある。だが、私がおすすめするコーチングは、マネージャーがメソッド、スキル、パイプライン分析ダッシュボードなどのツールを有していれば簡単に日常に組み込むことができる。

念入りに構築された育成コーチングは営業チームのパフォーマンス改善に必要不可欠だが、追加の戦略としてその場その場のコーチングを用いることも可能だ（ただし、使用するコーチング戦略がそれのみとはならないように）。最良の結果を得るには、スキル育成および行動コーチングに一貫性と目的がなければならない。営業マネジメントオペレーティングシステム（定例の営業マネジメント活動と会議）を使用した営業マネジメントシステムの確立は、両方のコーチングによるリズムを確立する方法のひとつだ。

営業マネジメントシステム

営業マネジメントシステムは、本書の後半で紹介するが、周期的なコーチングおよびコーチング文化の実現に密接に関連しているため、こちらでも紹介する（図7－11）。

周期あるいはマネジメントのリズムをつかむと多くのメリットがある。ビジネスを実行するための

図7－11
営業マネジメントシステム

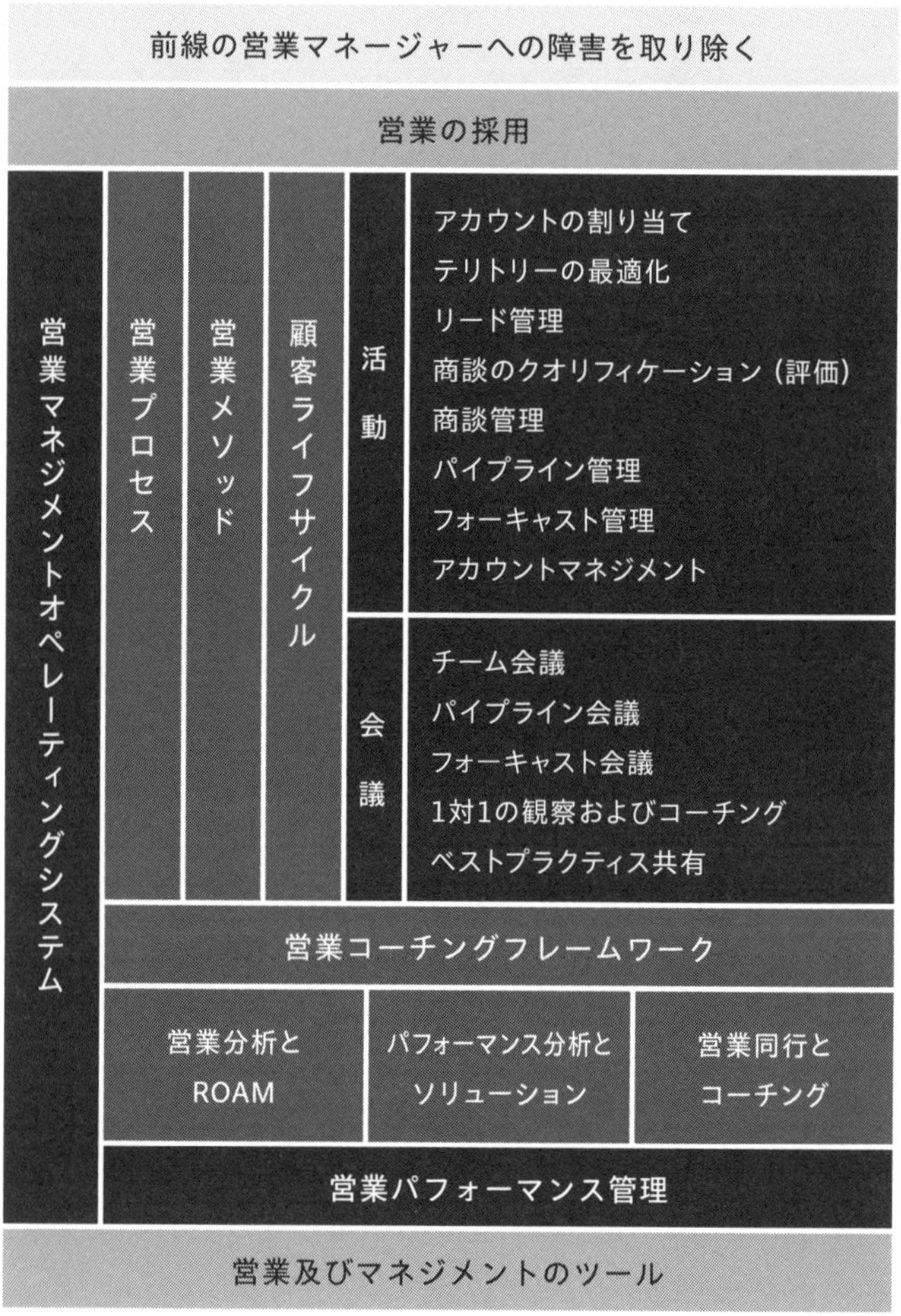

前線の営業マネージャーへの障害を取り除く

営業の採用

営業マネジメントオペレーティングシステム

営業プロセス

営業メソッド

顧客ライフサイクル

活動
アカウントの割り当て
テリトリーの最適化
リード管理
商談のクオリフィケーション（評価）
商談管理
パイプライン管理
フォーキャスト管理
アカウントマネジメント

会議
チーム会議
パイプライン会議
フォーキャスト会議
1対1の観察およびコーチング
ベストプラクティス共有

営業コーチングフレームワーク

営業分析とROAM
パフォーマンス分析とソリューション
営業同行とコーチング

営業パフォーマンス管理

営業及びマネジメントのツール

システムをつくり、（特に定期会議において）効率性と有効性を高め、従業員および経営層の一貫性を実現して、マネージャーと営業担当者の両方の期待値を設定し、生産性を向上できる。また、営業担当者に与えられるべき注目を与えることが最重要事項だと周知できる。

育成コーチングの観点からは、このリズムの確立によって忙しい毎日においても個別のスキルコーチングが忘れ去られたり、無視されたりすることがなくなる。営業マネジメントシステムは営業分析、ROAM、パフォーマンス分析とソリューション、現場トレーニングと営業コーチングをシステムに組み込むからだ。

コーチングのスケジュールを設定すれば、持続的成長の文化が確立される。チーム会議、公式のパイプラインおよびフォーキャスト管理会議、問題解決と商談アップデートのための定期的な1ON1に加え、マネージャーは営業担当者ごとに月次のアポイントまたはコール同席をスケジュールするべきだ。これは、本章で説明した内容を実行して営業担当者の成長と本当に重要な領域でのスキル向上をサポートする個別の育成のための時間となる。

概要

最高の営業チームをつくるには、前線の営業マネージャーが関与しなければならない。営業マネージャーこそがチームの力を何倍にも増加させることのできるパフォーマンスの主要なてこだからだ。この章で説明したとおり、マネージャーは営業パフォーマンス分析とコーチングの定期的なプロセスを確立することで営業の有効性をサポートする。ＲＯＡＭ手法を使用すれば、マネージャーとチームは不足しているパフォーマンスを特定して、コーチングの成果を最大化できる。このモデルを使用すると実行可能な構造ができあがる。フレームワークで紹介した「診断、計画、実行、確認」からなる営業コーチングのプロセスでは、最適なソリューションと最適なモデルを特定してコーチングのリズムを確立できる。そうすれば営業担当者は営業メソッドを体得する。この章ではコーチングプロセス作成の一環である営業マネジメントシステムも紹介した。では、次のビルディングブロック、営業プロセスを見てみよう。

第8章　営業プロセス

営業にまつわる概念のうち、最も活発に議論されているのは営業プロセスではないかと思うことがある。営業プロセスに特化した本が出版されている。リンクトインのディスカッションでもよく話題にのぼる。まるで誰もが営業プロセスの意味を熟知し、営業プロセスの管理と最大化を行っているかのように、この言葉は振りかざされる。だが、私の経験からいえば、そうではない。

購買プロセスは第2章と第3章で紹介したが、これに触れずして営業プロセスの素晴らしさを正確に説明することはできないため、再度購買プロセスについて語るのをお許しいただきたい。まず一歩引いて、いくつかの事柄を定義しよう。

「営業プロセス」とは、営業活動が進む段階を意味する。各段階に目標があり、これらの目標を達成するために実行されるタスクがある。次の段階に移行するには完了条件を満たさなければならない。これらの概念と用語は営業プロセス固有のものではない。というより、開始条件（entry criteria）と完了条件（exit criteria）はどちらもソフトウェア開発、シックスシグマ、およびその他のプロジェクトマネジメントの環境で使用されている。

プロセスに関する用語（開始条件、マイルストーンなど）はいくらでも紹介できるが、それが必要かどうかは不明だ。単純な概念を理解し、目的を持って管理するだけで、効果的にプロセスを制御し、営業の成果を実現できる。

すべてのタスクが直接完了条件につながっていて、条件を満たすわけではない。たとえば、営業担当者が新たな意思決定者との会議を設定するとしよう。これはタスクだ。その会議で、特定の段階における顧客の完了条件を満たすために提供すべき事柄を発見して明確化し、条件を満たせば、同意を形成できるかもしれない。だが、会議の設定が完了条件に関連するタスクだと考えるのは、少々いきすぎだ。すべてのタスクが平等ではなく、すべてが完了条件を満たすのでもない。

タスクについて考慮すべきもうひとつの事柄は、事業計画のタスクと営業メソッドの違いだ（営業メソッドについては8つ目のビルディングブロック（構成要素）で説明する）。どちらもタスクではあるが、営業メソッドには顧客対応かつ営業関連のタスクとやりとり、または営業担当者による営業方法（使用されるフレームワーク、モデル、ステップ、スキル）が含まれる。

このように営業プロセス（段階、目標、タスク、完了条件）と特別なタスク（営業メソッドと呼ばれる）を組み合わせると、意思決定者にとって優れた購買体験が生まれ、営業担当者にとって心強いフレームワークができあがる。

では、営業プロセスを含む顧客ライフサイクル全体を確認しよう（表8－1）。

表8－1は、とある顧客ライフサイクルの例を示している。この例では、連携可能な箇所で営業プロセスとライフサイクルを連携させた（見込み客の発掘を行う場合、連絡をとる前に顧客がライフサイクルのどのあたりに位置しているか判明するとは限らない。そのためリード生成と管理は他の要素から切り離している）。

購買プロセスや営業プロセスと同様、ライフサイクルにも段階があり、各段階に目標、タスク、完了条件が存在する。私はこれらの段階を次のように分類している。

・**事業計画の立案**：ほとんどの事業に存在する戦略立案、または目標設定のサイクル。これらの活動の有効性や規律はさまざまだが、成熟した企業の多くになんらかの計画、目標設定、予算編成の活動がある。

○営業：この段階で顧客にアプローチする場合、すでに計画中のプロジェクトに沿ったものでなければ、顧客はサポートの必要性を認識しない可能性がある。インサイトセリング【訳注：顧客がまだ気付いていない課題を指摘することで信頼関係を築く営業活動】はこの段階で有益だ。関連性のあるデー

表8－1
顧客ライフサイクル

	現状	ソリューションの実行		購買プロセス					事業計画の実行		事業計画の立案		
	事業の実行	成果の測定と評価	ソリューションの導入	購入	条件の交渉と最終決定	選択肢の比較とソリューションの選択	ソリューションの調査と比較	潜在的な施策の特定	課題の出現と評価	計画の適用	戦術の作成	戦略と目標の確立	状況分析
顧客ライフサイクル 目標													
タスク													
完了条件													
営業プロセス 目標									左記の顧客の変化とは連動しない				
タスク													
完了条件													
	戦略的アカウントマネジメント	成果の測定と評価	ソリューションの提供	契約&クロージング	詳細および条件の最終決定	プレゼンテーションと提案	ソリューション構築	状況評価と判定	プロスペクティング（案件発掘）：インバウンドまたはアウトバウンドの調査、紹介、オムニチャネルの組み合わせ、ナーチャリング、トリガーとなるイベントや購買の予兆の監視				
	リード生成	ソリューションの実行		商談管理					リード生成と管理				

タ、調査結果、自社の専門性や見込み客と同じ業界の顧客との経験を共有して見込み客をサポートし、今後発生しうる課題を予測したり、そうした課題を防いだりできる。見込み客の目標達成をサポートできれば、興味関心を持ってもらえる可能性は高まる（これは目標ベースの営業、または成果営業（アウトカムセリング）と呼ばれる）。

・**事業計画の実行**：顧客の現状であり、顧客が計画を実施して事業を遂行する段階。このフェーズでは、物事が非常にうまく運ぶか、プランの有効性や実行に関する課題に直面し始めるかのどちらかである。ビジネスリーダーは問題に直面すると、社内で（自分たちで）解決しようとすることが多い。その取り組みが成功する場合もある。だが、困難が生じたなら外部からの助言やサポートを求める（あるいは抜け目のない調査と問題解決型のプロスペクティングに基づき、適切な知見を携え、タイミングよく近づいてきた波長の合う営業に対してオープンになる）。

○営業：計画実行の初期段階で顧客にアプローチする場合、顧客は自社の施策について自信満々で、営業を邪魔者または介入者だとしか思わないことがある。インサイトセリングやオブジェクティブベースセリング【訳注：目標ベースの営業。顧客の目標にフォーカスした営業活動】はこの段階で有用だ。私は通常（プロダクトベースのアプローチではなく）問題解決型の案件発掘アプローチをおすすめしているが、この段階では、他の段階ほどそれが有効ではない。顧客がまだ問題に突き当たっていないからだ。案件発掘アプローチは、知見や事例を使用して顧客が直面する可能性のある課題を予測するのに使える。あるいは、顧客があると信じている商機の実現に注力し、顧客の現在の計画と目標をサポートして成功の可能性を高めることができると示す必要がある。

・**購買プロセス**：顧客が外部からの助言を求め、自社では解決できないと考える問題の解決策を探し始める段階。プロセスがどうであれ、最終的には購買決定、社内での問題解決、または現状維持のいずれかが選択される。

○営業：プロブレムベースセリング【訳注：問題ベースの営業。顧客の問題解決にフォーカスした営業活動】はこの段階で非常に有効である。アカウントや顧客との関係性を構築してきた（アカウントベースのマーケティングや営業を通じて）場合、または追跡しているアラートでトリガーとなるイベントやセールスシグナルが確認された場合、この段階はアプローチに適したタイミングとなる。残念ながら、顧客が他のベンダーにも声をかけていたり、あるいはもっと悪いことにRFPを実施していたり、すでに他のベンダーと購買に関して話し合ったりしている場合、競争は激化する。ここではコンサルティング型かつ顧客中心型で、価値と成果を重視する施策を使用し、できるだけ競合他社と差別化することだ。繰り返すようだが、機会を創出することは、アプローチが遅くなったために競合相手に囲まれ、もみくちゃにされながら商談を進めることよりずっと優れている。

- **ソリューションの実行**：導入が必要な製品またはサービスを顧客が購入する場合、この段階で製品やサービスが導入、評価される。
  ○営業：ソリューションの価格帯によっては、この段階で導入したばかりの競合他社による製品やサービスを置き換えるのはかなり難しい。現在のサプライヤーにおいて非常に早い段階で深刻な問題が噴出しており、顧客が選択を後悔していない限り困難だ。このアカウントでは関係構築に力を入れ、将来的な競合他社の置き換えを念頭に置くこと。顧客との良好な関係を築き、好ましい印象を与えることができれば（とくに顧客が「もっと早く貴社について知っていればよかった」と発言している場合）、同じような案件が存在する別の企業の顧客を紹介してくれるかもしれない。
- **現状に戻る**：ソリューションの導入後、顧客は事業計画の立案と実行（現状）からなる標準サイクルに戻る。
  ○営業：この段階で営業力に影響を与える要素には、どのくらい前に競合他社のソリューションが購入および導入されたか、自社ソリューションの価格帯、現在のソリューション提供企業に対する見込み客の満足度、競合他社との差別化や付加価値がある。こうした要因の多様性を考えると、この段階で最適なアプローチは「ソリューションの実行」や「事業計画の立案」と同じとなる可能性がある。

顧客ライフサイクル図は、どの企業でも拡張可能だったり直線上だったりするわけではない。各社の詳細な状況を理解しよう。

企業とは、全体的な戦略計画と目標を支えるために、自分たちの役割に関連するプロジェクトを計画、実行する部門と役割によって構成される。アカウント自体は比較的直線上のライフサイクルを進むが、各役割においては複数のプロセスが同時に発生し、さまざまな段階に位置付けられる。特定の商談またはアカウントと、製品やサービスを通じてサポートしている特定のペルソナおよび役割が購買サイクルに入っていたとしても、その他のペルソナと役割は購入済みのソリューションを実行中だったり、ＤＩＹソリューションを導入しようとしていたり、まだ計画段階だったりする。

では、営業プロセスと、営業チームのイネーブルメントという観点では、こうした情報をもとに何をすべきだろうか?

何より重要なのは営業プロセスと購買プロセスおよびその他の顧客ライフサイクルを可能な限りマッピングすることだ。

顧客ライフサイクルと購買プロセスをマッピングして（専門家による市場調査、顧客との会話、顧客に似た規模や業界の企業の情報を使用する）、一般的な市場における段階ごとの目標、タスク、完了条件を記録したら、プロセスの連携を開始できる。

プロスペクティング段階を購買プロセスに連携させようとする人は多いが、私はこれを誤りだと考えている。もちろん、プロスペクティングの時点で顧客が営業のライフサイクルのどの段階にいるのか知ることは可能だ。営業担当者は調査、紹介、一般的なつながり、企業や従業員に関する個人的な知識を通じて情報を取得できるし、その取り組みがうまくいけば何よりだ。

だが、営業担当者はそうした情報へのアクセスを持たず、顧客と直接会話するまで目隠し状態で進んでいる場合が多い。だからこそプロスペクティングを、顧客の変化と連動しない固有の段階として設定している。営業担当者が目隠しをされた状態で案件発掘を行っている場合、顧客への質問または顧客が発するヒントや手がかりの傾聴から、顧客がどの段階に位置付けられるのか特定しなければならない。

その他の営業プロセスは購買プロセスや購買後のプロセスと連動させる。それから営業チーム向けに各段階の目標、タスク、完了条件を確立する。営業担当者は顧客の完了条件を発掘、明確化して満たし、取り組みに対する同意を得るだけでなく、独自のタスクを実行して完了条件を満たす必要もある。たとえば、営業担当者は顧客中心の姿勢を維持するが、だからといって機会を追いかける価値があるか、クロージングできる可能性が十分にあるかを判断できないというわけではない。もうひとつ例を挙げると、ある段階ですべての意思決定者を特定してエンゲージした場合、営業プロセスの完了条件を満たし、次の段階へ進める可能性がある。そういう意味では、効果的で十分な連携がとれた営業プロセスの構築は、効果的な作業範囲指示書（ＳＯＷ）や相互アクションプラン（ＭＡＰ）の作成によく似ている。目標、双方が完了する必要のあるタスク、達成すべきマイルストーン、タイムラインを含むステージが存在するのだ。

セールスイネーブルメントでは部門を超えたコラボレーションが実現されることを考えると、必ずしも自社で営業プロセス設計を行わなくてもいいだろう。セールスオペレーションチームやシニア営業リーダーが営業プロセスの責任者となってもいい。いずれにせよ、設計の取り組みについて理解し、周りと連携して営業プロセスをサポートしよう。特に、営業オンボーディング中の新入社員にも既存の営業チームにも、営業の有効性を最大化する方法を教えることは重要である。

営業プロセスについて他にも考慮すべき事柄を紹介する。

- 望ましい成果と完了条件は顧客（個々の意思決定者またはインフルエンサー）によって異なる。
- 購買プロセスと営業プロセスは直線上に進まない可能性がある。顧客ごとの完了条件の違いや、営業が多様な基準をどの程度満たせるかに基づき、異なる意思決定者が異なるタイミングで異なる段階に位置している。営業プロセスを効果的に管理したいなら、営業担当者はこの事実に注意を払わなければいけない。
- 営業担当者は信頼関係の構築、価値の提示、優れた成果を生むソリューションの共同作成、個々の顧客の最重要事項に基づくメッセージの伝達を行い、完了条件を満たすことで前進し続ける必要がある。また、「HAM／BAM【訳注：Have a Meeting, Book a Meetingの略】」、つまり会議が終わる前に次の会議のスケジュールを設定することを強くおすすめする。

・顧客側の新たな登場人物（意思決定者またはインフルエンサー）、成果、完了条件によって状況が変わる場合がある。営業担当者は常に緊張感を持ち、変化に対応しなければならない。だからこそ複数の意思決定者に対して営業することが複雑な営業と呼ばれるのだ。決して簡単ではないが、営業担当者が営業プロセス、各段階での独自のタスクと完了条件、顧客の完了条件を満たす方法をよく理解していれば、営業は少し楽になる。

概要

「営業プロセス」とは営業活動が通過する段階を意味する。次の段階に進む前に達成しなければならない目標と完了条件が、各段階に存在する。購買プロセスと連動した効果的な営業プロセスは、作業指示書に似ている。目標、完了すべきタスク、マイルストーン、タイムラインを含む段階があるのだ。営業プロセスとは営業メソッドとイコールではないということを覚えておいてほしい。営業メソッドには顧客との対面で行われる営業のタスクおよび準備のすべてが含まれる。詳しくは第9章で説明する。

第9章

営業メソッド

営業メソッドとは、営業担当者が営業プロセスの各段階で実行する顧客対応の営業タスクと活動、およびそれらの準備のために行うことを意味する。営業担当者が製品やサービスを販売するために行う「事柄」だけでなく、その「方法」も営業メソッドだ。

通常の営業以外のタスク（複数の関係者との会議の調整など）より具体的で、営業担当者が使用するフレームワーク、モデル、スキル、ステップ、行動（営業のコンピテンシー）、およびこれらのタスクの実施方法――つまりこれらのモデルやスキルをどれほどうまく使用できるか（質）――などを含む。また、営業担当者が顧客とのやりとりの準備をして営業メソッドを実行するために使用するフレームワークとモデルもその一部だ。

つまり、次の事柄を行う方法はすべて営業メソッドである。

- 対象アカウントの見込み客に関する調査と準備
- 会話型フレームワークの調査内容を駆使した見込み客へのアプローチの構造化と実行
- 効果的な会議の実施とスムーズな進行
- 自社が解決可能な問題の発見または実現可能な機会の発掘
- ニーズとソリューションが一致するかどうか（発見した問題を解決できるかどうか、あるいは発見した機会を実現できるかどうか）、適切な意思決定者と会話しているかどうか、これらの顧客はソリューションを求めており購入するかどうか、およびその確率を見極めるための案件の評価
- 顧客を中心に据えた方法での顧客の懸念の払拭
- 効果的なプレゼンテーションの実施と顧客ごとのソリューションメッセージのパーソナライズ（各顧客に響く方法で価値を伝える）
- 現在のアカウントにおける効果的な四半期ビジネスレビュー（ＱＢＲ）、または著者が呼ぶところの顧客価値レビューの実施
- アカウントの目標の適切な設定と、目標の達成やアカウントとの効果的なやりとりをサポートするアカウントプランの作成

名指しはしないが、よく目にするベンダーの営業メソッドの多くは不完全である。完全な顧客ライ

フサイクルをサポートしていないからだ。いくつか例を挙げる。

・一部のベンダーはトップオブファネル（購買プロセスの初期段階）のプロスペクティング（案件発掘）またはアウトバウンドのリード生成をサポートしている

・多くのベンダーが営業コールの実施方法をサポートしている（ただしその多くが時代遅れで、現在の複雑なＢ２Ｂ企業向けの営業環境や変わり続ける顧客の行動に適していない）

・おそらく同じくらい多くのベンダーが商談管理を網羅している（ただし一部のベンダーは必要不可欠なはずの交渉スキルを無視している）

・一部のベンダーはクオリフィケーション（評価）フレームワークのみにフォーカスしている

・完全な戦略的アカウントマネジメント、主要アカウントマネジメント、またはタイプ別のアカウントマネジメントをサポートするベンダーがあまりにも少ない

営業メソッドが不完全だからといって、それが悪しきメソッドや誤った選択だというわけではない。ただ不完全なだけだ。問題が発生するのは、こうした営業メソッドのユーザーが「当社ではＭＥＤＤＩＣＣ【訳注：Metrics（測定指標）、Economic Buyer（決裁権限者）、Decision Criteria（意思決定基準）、Decision Process（意思決定プロセス）、Identify Pain（課題）、Champion（擁護者）、Competition（競合）で構成されるフレームワーク】を営業メソッドとして使用しています」とか、「当社はチャレンジャー・セールス・モデル【訳注：マシュー・ディクソンとブレント・アダムソンが開発した営業モデル。両者による『チャレンジャー・セールス・

モデル　成約に直結させる「指導」「適応」「支配」』（三木俊哉訳、海と月社、2015年10月）に詳しい】に基づき営業活動を行っています。これが当社のメソッドです」とか言うときである。どちらも優れたベンダーだし、それぞれのメソッドの影響力は大きいはずだ。だがいずれも十分ではないし、顧客ライフサイクル全体には対応していない。SPINを使用してメソッドにまつわる作業を完了させたと思っても、営業チームの期待にははるか及ばない。しかも、営業パーソンが顧客ライフサイクル全体における顧客とのやりとりや営業の有効性を向上させるために実行できるはずの多くの事柄を無視してしまっている。

こうした「完全（と謳っているが実は不完全）」なフレームワークだけでなく、追加のスキルも多々存在する。時間とタスクの管理やテリトリー管理、それにインサイトセリングやアダプティブセリング【訳注：顧客の反応に応じて自社の計画や目標を柔軟に変更する営業活動】などのより新しいメソッドなどを営業担当者は認識し、体得しなければならない。

セールスエフェクティブネスの知見

営業メソッドの有効性を向上し、顧客をサポートすると同時に営業担当者や売り手企業を差別化する本物のビジネスの会話を実現するインプットは他にもある。顧客の知見やビジネスの知見の基盤を築くことなどだ。私はこうした基本的な要素を「セールスエフェクティブネスの知見」と呼んでいる（図9－1）。

各要素を詳しく見てみよう。

- **営業の知見**：営業調査、営業のコールプランニング、プロスペクティングとリード生成、デジタルの営業活動、案件のクオリフィケーション、適応性の高い営業メソッドを用いたコンサルティング型営業（発掘と状況の評価、ソリューション開発とソリューションの共同作成、提案書の作成、デモの実施またはソリューションとソリューションダイアログの提案、懸念の解決、コミットメントの獲得など）、営業会議管理、異なる興味関心を持つ複数の顧客に適切なメッセージを伝えるマルチスレッディン

図9－1
セールスエフェクティブネスの知見

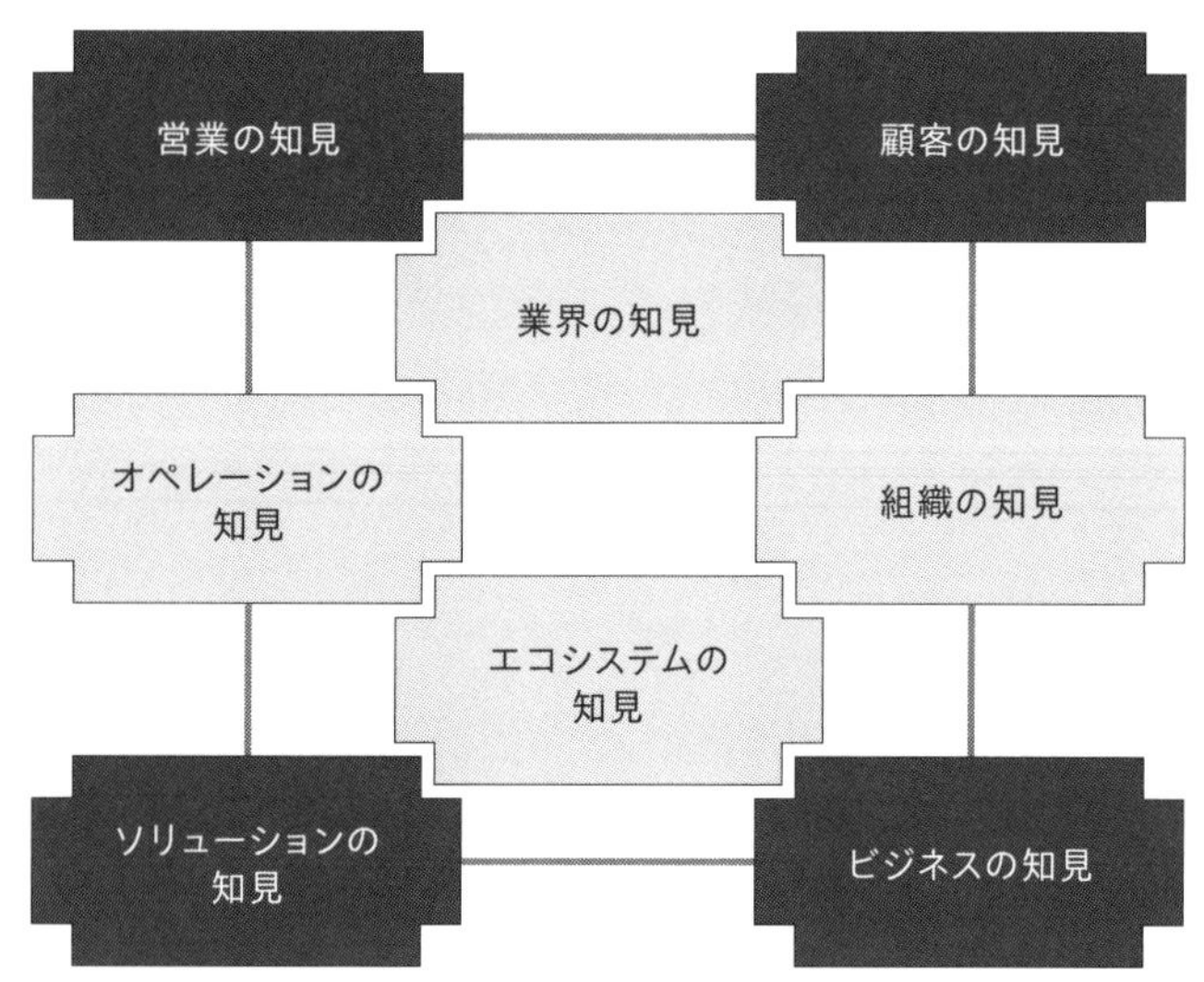

グ、ストーリーテリング、インサイトセリング、交渉、影響力を発揮するスキル、コンサルティングスキル、通常の会話とコミュニケーションのスキル、チーム営業、戦略的アカウントマネジメントに熟達すること。

- **顧客の知見**：一般的な顧客のペルソナと顧客のジャーニーや購買プロセスを理解すること。これにはＣＯＩＮ－ＯＰ（課題、機会、影響、ニーズ、成果、優先順位）、意思決定プロセス、意思決定基準、意思決定の役割、指標と測定によって示される望ましい結果、意思決定者のビジネスニーズと個人的ニーズの考慮が含まれる。
- **ソリューションの知見**：製品とサービス、それらが顧客の課題を解決する方法、クリティカルシンキングと問題解決、フォースフィールド分析【訳注：推進力や抵抗力の分析】、ソリューションが業界、財務、顧客、エコシステムの知見につながる仕組みを理解すること。これは知見の中でも最も優れたものであり、顧客に対する価値を創出（および売り手企業を差別化）し、顧客が望む成果を達成するために使用される。競合他社の製品やサービスの理解、および競合他社、ＤＩＹ、現状と比較した際に自社の製品やサービスを優位な立場に位置づける方法の理解もソリューションの知見に含まれる。
- **ビジネスの知見**：ビジネスモデル、金融の知見、運用上の指標と成果（重要業績評価指標（ＫＰＩ）や重要成功要因（ＣＳＦ）など）、価格設定、顧客組織が収入を得る方法、ビジネスケースを作成してＲＯＩを計算する方法を理解すること。

- **業界の知見**：領域知識とも呼ばれる。業界の課題、機会、テクノロジー、規制と法律、ビジネスの慣習、最新のイベントとニュース、業界の一般的な状況を理解すること。
- **組織の知見**：効果的に計画、組織する方法を理解すること。これにはテリトリープランニング、アカウントプランニング、営業コールプランニング、営業会議の主導、タスク管理、ＣＲＭの使用、セールスイネーブルメントツール、その他のテクノロジーツールとパフォーマンスサポート、アクションプラン立案、スケジュール設定、プロジェクト管理、チェンジマネジメント、個人の生産性向上に向けた活動が含まれる。
- **オペレーションの知見**：物事を完了する方法と、自社組織あるいは他の組織で物事を実行する方法を理解すること。プロセス、政治、企業文化の向き不向き、連携、同意の形成、それらの計画を効果的に実施する方法なども含まれる。
- **エコシステムの知見**：ベンダーおよびチャネルパートナー、彼らと効果的に関係を構築してエンゲージメントし顧客のための効果的なソリューションの共同作成を通じて商談を発掘、管理、受注する方法を理解すること。

これらのインプットからなる堅固な基盤――それに適度な対人能力やコミュニケーションスキルも――を築けば、営業メソッドはより強力になり、営業担当者はより効果的に活動できるようになる。

社内に知識が蓄積されていて営業メソッドを構築できる場合も、特定のメソッドの購入を決定した（あるいは複数の部分的なメソッドを購入して組み合わせる）場合も、成績上位の営業担当者の分析を検討する必要がある。自社の成績上位の営業担当者が行っている活動はその他の営業担当者と比較してどう違うのか、顧客ライフサイクルに沿って発生する営業と顧客のやりとりにおいてどのような業界のベストプラクティスがあるのかを確認する。この分析を用いて独自のメソッドを構築するわけではなくとも、組織のために購入したメソッドをカスタマイズする手助けになる。会話インテリジェンスソフトウェア（通話や営業会議を記録、分析するソフトウェア。AIを用いる場合もある）【訳注：国内だと「アンプトーク®」などがある】があれば容易に成績上位の営業担当者を分析できる。

ただし注意も必要だ。会話インテリジェンスに分類されるソフトウェアプロバイダーの中には、集計した顧客の記録の分析に基づくレコメンデーションを公開している企業もある。この作業がうまく行われた場合、潜在的価値が生まれるものの、私自身はここで使用されている調査手法や、こうした企業のいくつかが自社の「調査」から引き出す結論に大きな懸念を抱いている。同じように感じている人は多い。こうした企業のレコメンデーションを事実として受け入れる前によくよく注意してほしい。可能であればデータサイエンスや統計の専門家の力を借りて、自分で調査を行うのが一番だ。

セールスエフェクティブネスの基礎

セールスエフェクティブネスの基礎は、外環と内環に位置づけられた個別のシリンダーの集合のように機能する（図9－2）。まず、顧客中心型のマインドセットの基盤と、顧客の観点から価値を作り出す方法を理解しなければならない。これらはシステム内のその他すべての要素に適用される。それからコールプランニング、懸念の解消方法、テリトリーマネジメントとアカウントプランニングを体得する。残りのライフサイクルとプロセス関連の要素において効果的な活動をするために必要となる事柄だ。これらに熟達したら、図の内環を実行できる。つまりプロスペクティング、営業プロセスを通じた商談管理、獲得したアカウントのマネジメントだ。

それぞれの要素を詳しく見てみよう。

- **顧客中心型**：外から内に向いたマインドセット。行うことすべてについて顧客の視点から考え、顧客の利益を最優先に考えて行動するよう促し、顧客の成功をサポートすることで自身の成功も達成する。
- **価値創出**：各顧客が重要視する事柄を理解し、価値の高いソリューションを共同作成して、ソリューションの成果と営業が提供する価値を伝える能力。価値には事業価値（金融または運用の指標）、経験に基づく価値（プロセスまたはエクスペリエンスの改善）、目標の価値（ミッション、ビジョン、バリューとの連携）、個人的価値（個人の職業上のニーズまたは個人的ニーズの実現）がある。

・**プロスペクティング**：対象アカウントの意思決定者について調査、計画、準備し、自社の製品またはサービスが彼らの目標達成をサポートする方法に対する興味関心を醸成すること、およびそのためのアポイントを設定すること。

・**発掘**：顧客の状況や、意思決定者や主要なインフルエンサーにとっての最重要事項を理解すること。これには彼らの現状および現状に関連する影響、望ましい将来像とそれに関連する成果、現状との差の規模や差を

図9－2
セールスエフェクティブネスの基礎

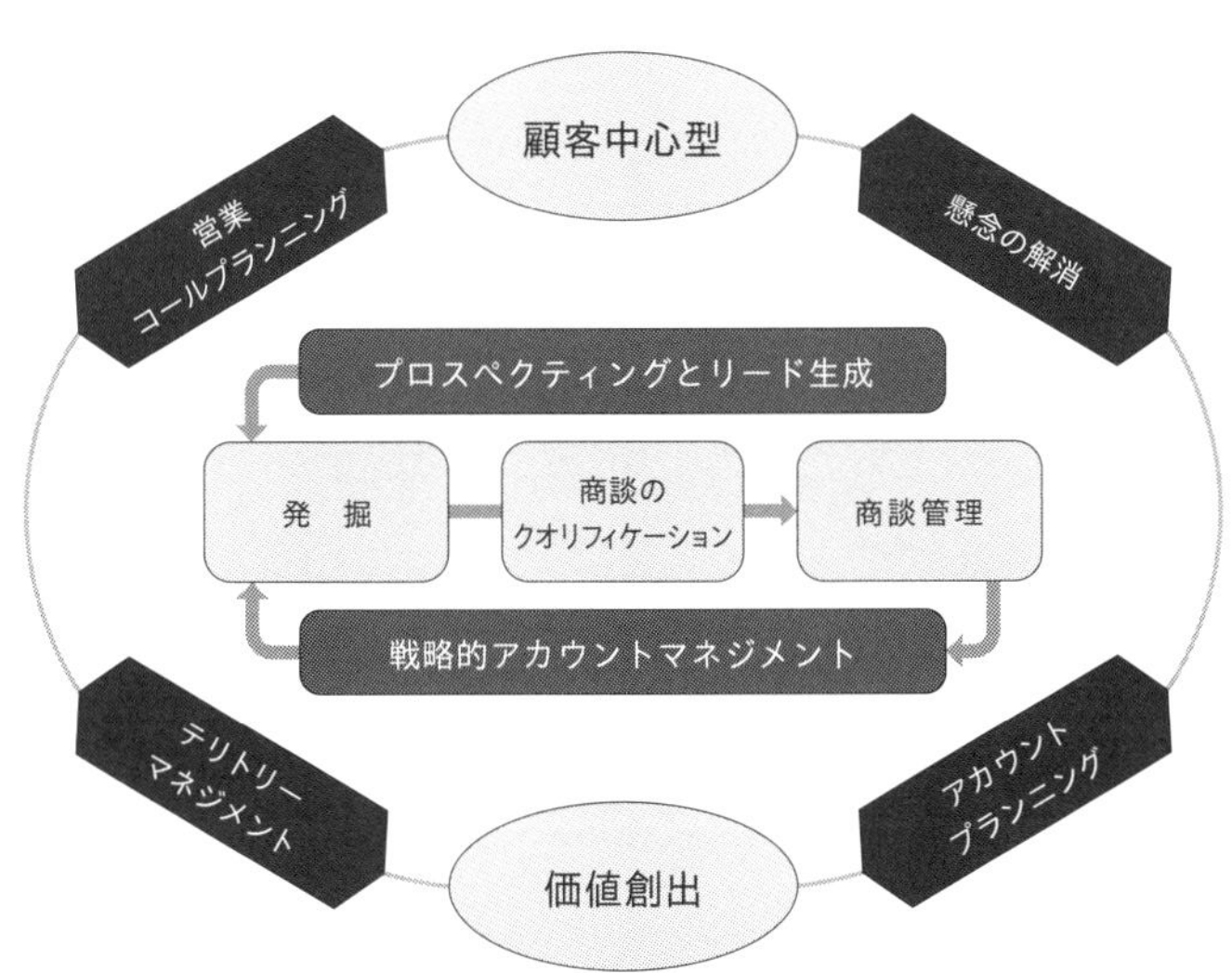

埋める緊急性が含まれる。

- **商談のクオリフィケーション**：商談が存在していることを示す状況（解決可能かつ行動を促すだけの魅力がある問題）と、受注の可能性が高く、時間、エネルギー、リソース、コストをかけて追及する価値があるかどうかを分析すること。
- **商談管理**：目的を持って各顧客の意思決定基準と購買プロセスの完了条件を発掘し、それらを満たし、購買プロセスと営業プロセスの段階を進んで最終的な意思決定に導くこと。交渉も商談管理に含まれる。
- **戦略的アカウントマネジメント**：アカウントの可能性の分析、アカウントの目標の設定（買収された場合は通常「成長、維持、または復元」だが、「撤退」も含まれる）、関係性やその他の要因を考慮して、設定済みの目標を達成するアカウントプランを作成し、そのプランを実行すること。
- **テリトリーマネジメント**：テリトリー内のアカウントと、それらの可能性の分析。テリトリーがどのように構成されているにしても、適切なアカウントのカバレッジとテリトリーの可能性の最大化を実現できるようにすること。
- **アカウントプランニング**：アカウントの目標を設定し、それらを達成するための計画を作成すること。戦略的アカウントマネジメントの一部。
- **営業コールプランニング**：営業コールの目標を設定し、営業コールまたは会議においてそれらを達成するための計画を作成すること。

・**懸念の解決**：顧客は購買プロセスまたは顧客ライフサイクルのあらゆる段階でさまざまな懸念を表明する可能性がある。懸念の解決とは、顧客中心型のプロセスに沿って課題を認知、明確化し、懸念の種類を特定して、その結果、懸念に効果的に対処できる適切な観点や推奨事項を提供することである。

望ましい状態を定義する

正直に言うと、顧客ライフサイクル全体と比較したとき、これらの基礎ですら完全ではない。これらの基礎に埋め込まれているが図には示していないタスクが数多くある。成績優秀な営業担当者の行動や、効果が高いと判明している行動に基づき、それらをひとつずつ明らかにして記録する必要がある。そうすると見えてくるのがパレートの法則（80：20の法則）だ。成績上位の営業担当者が非常にうまく行う事柄の20％（実際はおそらく40％程度）が優れた成果の80％以上を実現しているという事実である。

望ましい状態を定義する推奨モデルと、ライフサイクル全体におけるすべての「有意」な営業と顧客のやりとりを記録した営業プレイブックがあればなおいい。まずは今の時点で最も重要なことから確認を開始し、今年度の自社の戦略的計画またはコンピテンシーギャップの評価に基づいて優先順位をつける。やがてライフサイクル全体をカバーできるはずだ。

それからメソッド（すべてのフレームワーク、モデル、ステップ、スキル）が最新かつ顧客中心型・コンサルティング型で、価値と成果を重視しているかどうかを確認する。また、過去数年にわたる購買行動の変化に沿って、現代の顧客が望む購買方法に対応していなければならない。

ここではすでに紹介したもの（推奨でも推薦でもない）以外の特定の営業メソッドについては詳しく説明しないが、確実に言えることがある。営業メソッドによって魔法を起こせるか、起こせないかどうかが決まる。私は長年かけて特定の従業員向けに既知のベストプラクティスや成績上位の営業担当者の分析に基づく複数のメソッドを開発してきた。すでに市場に出回っているメソッドを特定の事業向けにカスタマイズして導入したこともある。そのうち、独自のメソッドを編み出し、それを起点として使用するようになった。

だからこそわかりにくいであろう点を明らかにしておく。市場に出回っている営業メソッドの多くは完全ではないと話してきた。また、メソッドに関連してパレートの法則も紹介した。成績上位の営業担当者が行う事柄の20～40％が彼らの成果の大半を生み出していると示す法則だ。矛盾しているように聞こえるかもしれないが、そんなことはない。

何が言いたいかというと、顧客ライフサイクル全体において効果実証済みのメソッドとプレイブックを適用しているかどうか、しっかり確認すべきだということだ。ただしメソッドは、誰も学習、維持、使用できないほど完全すぎたり、詳細にわたっていたりしてはいけない。これは、セールスイネーブルメントのリーダーたちが選んだメソッドが現場に浸透しない理由のひとつである。ベンダーのメソッドに膨大な内容が含まれている場合は特に難しい。ベンダーのメソッドのいくつかは――たとえ顧客ライフサイクル全体をカバーしていなかったとしても――複雑または具体的すぎて導入が難しく、全社的な適用や熟達が困難なのだ。だからこそ私は、完全に80：20に分けられるとは思っていないにもかかわらず、成績上位の営業担当者の分析を行い、パレートの原則を営業メソッドに適用するようにしている。大きな影響をもたらす営業担当者の行動を見つければ、セールスイネーブラーは最重要事項に注力し続けられる。

セールスエフェクティブネスの基礎はいい起点となる（あるいは少なくとも成績上位の営業担当者の分析を導いてくれる）。営業担当者が素晴らしい発掘やクオリフィケーションをやってのければ、それだけで営業の成果は向上する。

図9－3では最高の成果を生む主要事項のみにメソッドをフォーカスする、別の例を示している。ＳＰＡＲＸ·ｉＱによる「モダン・セールス・ファウンデーション」メソッドとコースで紹介しているもので、成績上位の営業担当者の分析をもとに構築された顧客中心型のアプローチだ。

最後に、購買プロセスにとどまらない完全なライフサイクルを記録するようおすすめしているのに

図9－3
顧客中心型の営業アプローチ

顧客と意思決定者の
理解

- 役割と目標
- 課題、機会、影響、ニーズ、成果、優先順位
- 購買プロセスと完了条件
- 最も重要な指標

優れたディスカバリー
(発見)の実現

- 状況評価
- 現状
- 将来像
- ギャップ分析
- 影響分析
- 成果

ソリューションの
共同構築

- 構築して問題を解決する
- 構築して成果を実現する
- 価値を伝える
- ペルソナまたは個人ごとにメッセージを伝える

スクリプトを顧客中心型
メッセージに変更

- 製品ではなく問題に焦点を置く
- 顧客の問題に対するソリューションについて話し合う
- 問題の解決と成果の実現に注力する
- ビジネスニーズと個人的ニーズの両方に対処する
- ペルソナまたは個人ごとにメッセージをカスタマイズする

商談の
クオリフィケーション

- 予算
- 他の選択肢
(競合や他ソリューション等)
- 運用チーム
- タイミングと緊急性

＋

- ニーズとソリューションの一致

プロセスの管理

- 段階ごとの完了条件を明らかにし、達成する
- 営業担当者のサポートに関して同意を確認する
- コミットメントを得て前進する
- コミットメントを維持して信頼を得る
- 定期的かつ明確にコミュニケーションをとる
- 人とプロセスの両方を管理する

は理由がある。第2章「顧客理解」で言及したように、営業担当者は毎回同じ方法で案件の予測を立てていることが多い。どの顧客に対しても同じことを繰り返し、優れた成果が出るように祈るだけの「固定観念に基づく営業」だ。もし（詳細な調査または初期のやりとりを通じた早期の発見により）顧客がライフサイクルのどの地点に位置しているかわかれば、営業のアプローチを調整できる。顧客をしっかり理解することで、アプローチやメッセージを調整し、時と場合に応じてカスタマイズできる。いくつか例を挙げる。

- 顧客が計画立案段階または計画実行の初期段階に位置している場合、インサイトセリングを用いれば気付きの瞬間を創出し、変化が必要だと顧客に理解させられる
- 見込み客が課題を評価したり、導入できそうなソリューションを特定したりしている場合、通常の問題中心型のメッセージと優れたディスカバリーがうまくいく可能性が高い
- 見込み客がすでにソリューションを比較検討している場合は、自社の製品やサービスを優れたソリューションとして差別化し、すでに進行中の購買プロセスで検討してもらう方法を見つける必要がある

営業メソッドに対して、真に顧客中心型の高度かつ柔軟なアプローチを用いれば、営業担当者は自分自身と自社を差別化できるようになる。

概要

顧客ライフサイクル全体にわたる顧客対応のフレームワーク、モデル、スキル、ステップ、行動を幅広く集めたものが営業メソッドだ。効果実証済みの包括的な技法が望ましいが、営業担当者が学習したり知識を維持したりできないほど複雑であってはいけない。顧客中心型のメソッドの作成方法を考えよう。成績上位の営業担当者の分析を進め、影響の大きな行動を特定する場合、「セールスエフェクティブネスの基礎」がいい起点となる。これは第10章の「営業分析と指標」に進む前の基本的な作業である。

第10章

営業分析と指標

良質な分析は、セールスレディネスシステムと、セールスイネーブルメントの9つ目のビルディングブロック（構成要素）の土台となる基礎的な要素だ。指標の追跡によって分析を行えるようになる。そういう意味では、このビルディングブロックは他のすべてのビルディングブロックを支え、各ビルディングブロックにおける有効性の測定を助けるといえる。

顧客関係管理（CRM）ソフトウェア、学習管理システム（LMS）、セールスコンテンツマネジメント（SCMまたはセールスアセットマネジメント（SAM））、採用管理システム（ATS）、セールスパフォーマンスマネジメント（SPM）ソフトウェア、ドリルダウン型のダッシュボードを備えた個別のビジネスインテリジェンスツール。どこからデータを抽出するにしても、次に関する最も有効な指標を定義したい。

・採用の有効性（採用のタイミング、育成期間、新入社員の生産性レベル、離職率）
・学習パフォーマンス（進捗、レディネス指標、認定）
・コンテンツパフォーマンス（自社にあるコンテンツと、最も効果が高いコンテンツ）
・営業パフォーマンス（営業オンボーディング中とオンボーディング後、および継続的な営業チームのパフォーマンス）
・その他測定、改善したいものすべて

先行指標と遅行指標を理解する

あらゆる事柄の先行指標と遅行指標を追跡するというのはいい考えである。遅行指標とは、達成したい成果または結果だ。先行指標は望ましい結果（遅行）に向けて進んでいることを予測する活動または中間結果である。たとえば、２週間の間に行う運動と消費カロリーの量は、体重（遅行指標）が増えるか減るかを示す先行指標だ。

表10－１では、学習、コンテンツ、営業パフォーマンスのカテゴリーにおける例をいくつか紹介する。

表10－1
先行指標と遅行指標の例

先行指標	遅行指標
学習パフォーマンス	
コースの開始（予定どおり、遅延あり）	コースの完了
テストの受講（予定どおり、遅延あり）	テストの点数（合格／不合格）
事前準備の完了	宿題の成績
テストの完了	ロールプレイの点数
ILT（講師主導トレーニング）準備のためのvILT（バーチャルの講師主導トレーニング）出席	最終的な検証または認定スコア
コンテンツパフォーマンス	
コンテンツ内容、役割とペルソナ、プロセス段階、完了条件別の共有されたコンテンツ数と割合	コンテンツ使用率、営業プロセス加速、コンバージョン率の相関関係
アセット、役割とペルソナ、プロセス段階、完了条件別の顧客の閲覧数、エンゲージメント、社内共有されたコンテンツ数と割合	使用されたアセットと商談受注率、損失率、案件規模、営業サイクル、その他の営業の成果指標との相関関係
コンテンツとメディアのタイプ別の営業担当者による共有数	勝敗分析における有益なコンテンツおよび有益ではなかったコンテンツに関する顧客の評価
コンテンツとメディアのタイプ別の顧客の閲覧数、エンゲージメント、社内共有の数	使用されたコンテンツ、顧客の体験、NPS（ネット・プロモーター・スコア）、CLV（顧客生涯価値）、継続率の相関関係
営業パフォーマンス	
架電数、連絡先、キャンペーンの数	受注と失注
アポイント数	予算と売上
入力した商談数	セールスベロシティ
プレゼンテーションと提案	交渉された価格と利益率
営業プロセス指標（意思決定前のコンバージョン率）	営業プロセス指標（意思決定後のコンバージョン分析）

営業パフォーマンスの図では、「アポイント数」が先行指標として記載されているが、これは役割と状況に応じて先行指標となったり遅行指標となったりする。アカウントエグゼクティブのためにアポイントを設定するセールスデベロップメント担当者の場合、これは遅行指標となる。アポイントを自身で設定し、営業プロセス全体にわたってリードを管理するアカウントエグゼクティブの場合、これは先行指標となる。

また、営業サイクルの長さによっても追跡すべき指標は変わる。ほとんどの場合、先行指標と遅行指標のどちらも有益だ。だが、営業サイクルが非常に長い（18か月など）ときは、遅行指標を追跡できるようになるまで待っていたら早期に潜在的な問題を特定して介入する機会を見失ってしまう。

何を測定すべきか？

表はほんの一例で、もちろん現在使用されているすべての指標を一覧にすることも可能だが、特定の事業においてどれが適切かを断言することはできない。セールスレディネスシステムの各要素について検討し、各要素が分析されているか、または分析が必要かを見極めなければならない。分析が必要な場合はどのような内容が必要なのか確認する。測定できるからといって、なんでもかんでも測定すべきではない。いくつか考慮すべき点がある。

・結果が出たら何をするのか？
・結果の管理、パフォーマンスの改善、価値の付加にどう役立つのか？
もしビジネス管理やビジネス成果改善の役に立たないのなら、追跡しなくていい。ビジネスの管理に使用できる測定結果、特に先行指標があれば、優れたダッシュボードができる。

多くの人が検討しない選択肢を、いくつか挙げておこう。
・顧客のペルソナまたは顧客の役割を測定できるとは考えていない人がほとんどだ。だが、誰が各商談に関与しているか、商談を開始することが多いのは誰か、担当している顧客の中でチャンピオンとなったり財務的投資家となったりすることが多いのは誰かを追跡することは可能だ。情報を取得したら、その情報とコンバージョン率あるいは勝率との相関関係を探る。ある企業では、チャンピオンが関与している場合勝率が劇的に向上することが判明した（当然ながらこの企業では、何をもって顧客をチャンピオンとするのかというパラメータを明確に定義していた）。
・営業メソッドには多くの選択肢があるが、ＣＲＭにはクオリフィケーション（評価）スコアリングシステムを含めるといい。クオリフィケーション手法を操作できるようになり、購買プロセスの完了条件について考慮できる（完了条件の特定と達成）。勝率と相関させることも可能だ。
・全体的な営業メソッドについては、コンピテンシー評価またはスキル認定プログラムを使用して、準備期間や予算達成度との相関関係を確認することもおすすめだ。

・ビジネスの知見も、評価またはシミュレーションスコアを使用して測定し、同様に相関関係を確認できる。

理解していただけたはずだ。システムの各要素について検討し、意義があること、付加価値を実現すること、追跡可能なこと、何らかの方法で実行できるようになることを可能な限り行おう。

また、経営管理指標とパフォーマンス診断指標は違うのだと覚えておいてほしい。

・経営管理指標は、目標に対する進捗を示すために追跡する指標、またはビジネスの現状あるいは直近の状況の概要を確認する指標である。

・パフォーマンス診断を行い、根本原因となっている問題や、パフォーマンス改善の方法を見つけるには、より詳細な調査が必要となることが多い。

両方を行うには、表面的な指標以上の事柄を追跡し、いつでも深掘りできるようにする必要がある。これは、測定可能なものをなんでも測定すべきではないという私の助言とは矛盾が生じるため、補足する。企業に入社またはコンサルタントとして参加する際、あるいは新たなセールスイネーブルメント部門を立ち上げる際、私はまず多くの指標を確立して現状を評価し、その後長期的には必要でない指標がわかったら、経時的に指標の数を減らすようにしている。追跡が簡単で自動化できるなら、報告はせずとも追跡を継続する。後々必要となった場合に備えるのだ。

営業成果指標と営業プロセス指標は数多く存在する。より詳しく見てみよう。まず、TOFU（トップオブファネルマネジメント）（アウトバウンド）がある（図10－1）。

図10－1の例はアウトバウンドの電話のプロスペクティングを示しているが、変更してあらゆる種類のアウトリーチを含めることができる。最近では、ＴＯＦＵにはマーケティング由来の需要生成やインバウンドのリード管理も含まれる。

また、ＭＯＦＵ（ミドルオブファネルマネジメント）とＢＯＦＵ（ボトムオブファネルマネジメント）、あるいは単なる商談管理がある（図10－2）。

すべてにおいて先行指標（活動）と遅行指標（結果）を測定できる。生の数値を表示しても、タスクと活動また

図10－1
トップオブファネルマネジメント

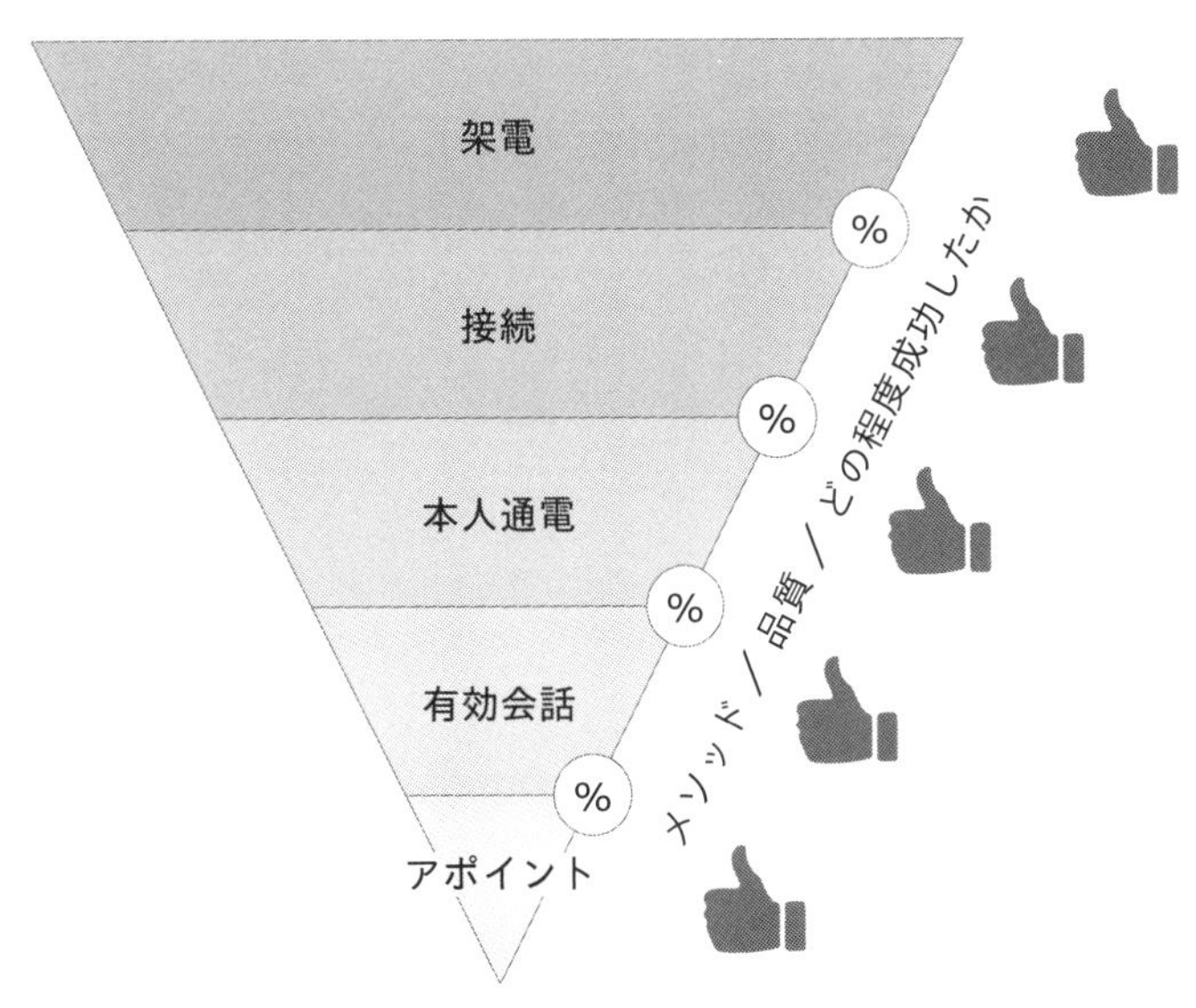

は段階のコンバージョン率を表示してもいい。

ある時点をベンチマークすれば、新しい結果とベンチマークした時点の結果を比較して、採用活動、トレーニングプログラム、コンテンツリリース、その他の施策の影響を測定できる（当然だが季節やその他の要因も考慮すべし）。こうしたことが得意でなければ、ビジネスアナリスト、データサイエンティスト、セールスオペレーションのプロ、またはコンサルタントを関与させて適切な測定を行いつつ知識を身につけられる。

需要生成に関連する指標、パイプライン管理などに加え、ビジネスに付随するその他の事柄の追跡も検討しよう。測定可能な指標をいくつか紹介する。

・平均販売価格
・平均営業サイクル（各段階の期間を含む）
・クロスセルとアップセル
・営業オンボーディングにかかる準備期間

図10－2
商談管理

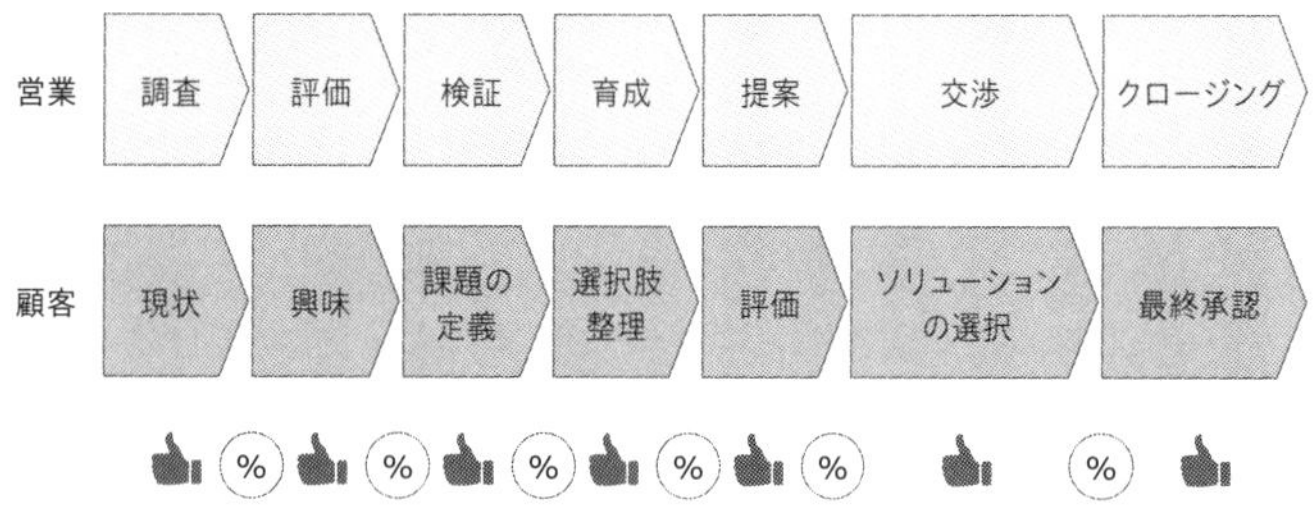

- 予算達成率（および予算達成に向けた年度はじめから現在までの追跡）
- 営業生産性
- セールスベロシティ

では、営業生産性とセールスベロシティについて詳しく見てみよう。

営業生産性

営業生産性は「営業担当者ひとりあたりの売上」として定義されることが多い。だが、私はより広義に「一定期間における営業チームのアウトプット」だと考えることを好む。これはチームの合計または営業担当者ひとりあたりの平均として表示できる（どちらも有益だ）。

多くの営業リーダーがこのアウトプットを売上の観点からのみ測定するが、売上と収益の両方について検討するといい（「何年にもわたって赤字を出しているのに、まだつぶれていない理由はなんだって？　ビジネスの規模が大きいからだよ！」という古いジョークを聞いたことがあるはずだ）。会社を立ち上げたばかりで、なんとしても顧客の獲得や売上の成長を示し、資金を調達したいと考えているのでない限り、重要なのは「利益のある」成長である。

わかりやすくまとめよう。総収入、営業担当者ごとの売上、一定期間の収益率を以前の特定期間（たとえば前四半期など）の同様の指標と比較すると、営業チームのパフォーマンスが改善されたか改悪されたかを一目で把握できる。これが営業生産性だ。生産性とは営業にかかった時間だとする営業の専門家もいるだろう。営業にかかった時間は、生産性に関する論理的な要素ではあるが、測定は難しい。ここで紹介したアウトプットのほうが信頼性の高い指標となる。

セールスベロシティ

セールスベロシティは営業生産性によく似ているが、おそらく最も誤解されている営業指標である。平均営業サイクルとごっちゃにされることが多いのだ。セールスベロシティとは営業チームの「キロメートル毎時」、つまり売上を達成する速度である。フォーキャスティングにも役立つが、診断ツールとしては一層優れている。

セールスベロシティを判断するには、昨年または前四半期などの期間を選択して、次を収集する。

- 追跡した案件の数
- 平均販売価格
- 平均勝率
- 平均営業サイクル

それから次の式を用いる。

購買や契約につながる可能性が高いと判断された商談の数

×

平均販売価格

×

勝率（%）

÷

平均営業サイクル

＝

セールスベロシティ

この式を使えば営業チーム全体、リージョン、マネージャーのチーム、個人のセールスベロシティを計算できる。状況によっては製品シリーズまたはサービスシリーズごとに計算したり、他の方法で分割したりする必要があるかもしれない。使用するセグメントや平均の種類（つまり平均、中央値、最頻値）はいろいろ試してみるといい。

セールスベロシティを計算するにあたり、ひとつだけ注意してほしいのは、平均の使い方だ。平均はさまざまな意味で問題となることがあるので、目的を持って注意深く使用するべきだ。私はたまに、外れ値を排除したり、平均、中央値、最頻値のそれぞれを試したり、個人またはチームの結果を生の数値に変換したりする。個別の製品またはサービス、会社全体、特定のリージョン、部門、チーム、または個人における、あらゆる期間のセールスベロシティを計算できる。この柔軟性は、比較を作成するときに役立つ。セールスベロシティが特に有用なのは、

- 改善が必要だというサインを見つける
- 詳細を確認すべきポイントを特定する

場合だ。

成績上位の営業担当者からなる特定のグループとその他のグループを比較すると、詳細の確認やコーチングが必要な領域を特定して、チームのパフォーマンス改善や営業チームの「平均の引き上げ」を実現できる。調査する期間は組織に合わせて変更可能なので、営業サイクルに基づき日、週、月、四半期のベロシティを測定しよう。

誤解のないように説明すると、「時間で売上を割る」ことでも同じ計算（営業チームが売上を達成する速度）は可能だ。だがその場合、さまざまな要素を当てはめてみて結果を改善するためには何が必要か確認することができない。最初に紹介した式を使えば、商談の数、案件規模、勝率、営業サイ

クルをさらに詳しく確認して、ベロシティ改善の機会を発見できる。

いくつかヒントをお教えしよう。

- 不明瞭な案件ではなく購買や契約につながる可能性が高いと判断された商談と、それらの商談の勝率を使用すること。質が高いと判断されていない商談はノイズでしかない。
- 営業サイクルの平均を日、週、月で表示すると、自社に適した時間の観点がわかる。

ベロシティに関して色々と試し、計算に使用するさまざまな指標を改善するにあたっては、最も重要なのは収益であることを忘れないように。採算性に関するその他の指標へのフォーカスを失ってはならない。

セールスイネーブルメントの取り組みにおけるさまざまな要素と、営業チームに対する影響の測定は、あらゆるセールスイネーブルメントリーダーの役割において必要不可欠である。当面専門家のサポートを得ることになるかもしれないが、この章が貴重な事柄について検討するきっかけとなれば幸いである。

概要

このビルディングブロックの営業分析と指標は、セールスレディネスシステムの基盤だ。指標を追跡すると、分析を行えるようになる。つまりこのビルディングブロックはその他のすべてのビルディングブロックを支え、各ビルディングブロックでのセールスイネーブルメントの有効性の見極めを助ける。先行指標と遅行指標について理解したら、何を測定すべきか考える。結果を用いて何をするのか、どうやって付加価値を実現するのか、自分に問いかけよう。分析をサポートするツールとテクノロジーについては第11章で紹介する。

第11章　セールステックとツール

営業分野のキャリアを築く中で、業界をリードするセールスイネーブルメントとレディネスのソリューションプロバイダーで働いたことや、クライアントを通じて別のプロバイダーと密に連携したことがある。ＳＰＡＲＸｉＱではまた別のプロバイダーと提携している。その他数社のプロバイダーの戦略的プロダクトアドバイザーを務めたこともある。別の十数社でも実地研修を受け実務経験を積んだし、トレードショーや営業アナリスト報告書、ソフトウェアレビューサイト、ナンシー・ナーディンの「スマート・セリング・ツール」、ダン・サイリーとミーガン・サイリーの「ベンダー・ニュートラル」を通じてさらに多くの企業について学んだ。それでも、すべてのセールステックツールの専門家と名乗るのははばかられるし、何もかも知っているとも言いがたい（ソフトウェアツールは、騙されやすい人間に関するP・T・バーナム【訳注：アメリカ人のショーマン。映画『グレイテスト・ショーマン』で主人公として描かれている】の名言に似ている。つまり、「毎分のように新しいのが生まれてくる」のだ）。それでも、市場に出ているツールの数が増え続ける中で、私はきちんとそれらに関する実用的な知識を備えているし、アナリストがレビューするソフトウェアカテゴリーについても詳しく把握している。カテゴリーをいくつか（すべてとは言えないが）紹介する。

・CRM
・企業情報
・バイヤーインテントソフトウェア
・トリガーイベント追跡とアラート管理
・営業インテリジェンスとビジネスインテリジェンス
・アカウントターゲティング
・連絡先検索
【訳注：コンタクトをとりたい見込み客や候補者の連絡先を取得できるツール。Lusha、People Searchなど】
・セールスエンゲージメント、プロスペクティング（案件発掘）、リード管理
・ビデオ営業
・ガイデッドセリング

- セールスレディネス
- 会話インテリジェンス
- セールスコンテンツ管理とセールスアセット管理
- 日程調整とカレンダー
- プレゼンテーション管理
- ＣＰＱ（設定、価格、見積）
- 提案書管理とドキュメント管理
- ワークフローパフォーマンスサポート（プレイブックとガイデッドセリング）
- 契約と電子署名
- 営業コーチング
- 営業報酬
- セールスパフォーマンスマネジメント（ＳＰＭ）

ここまで読んで頭がクラクラしていなかったら、お見事！　増え続けるツールを把握するのは大変だ。

正しいツールを正しく導入すると、効率性も営業の有効性も向上する。問題は、あまりに多くのツールがあり、どれもビジネスに革命を起こすといわんばかりの宣伝をしていること。ツールにかけられる予算は会社の規模によって異なるが、現在進行中の調査によると、企業は平均で営業担当者ひとりあたり1か月100~1000ドルを営業ツールに費やしている。資金豊富なSaaSのスタートアップ企業では毎月営業担当者ひとりあたり数千ドルを投資していると聞いたことがあるが、それを裏付けるデータは持ち合わせていない。ただ、もはや何を聞いても驚かない。

テクノロジーツールに関する重要な助言は2つある。顧客視点であること、そしてまずプロセスとワークフローを修正することだ（あるいは少なくとも、何を最適化しようとしていて、そのツールを使用すれば何を実現できるのか正確に把握すること）。かっこいいツール、最新機能、そして最近話題を呼んでいる人工知能と機械学習の能力や可能性についうっとりしてしまう人は多い。だが、まず何を達成し、サポートしようとしているのかを明確にして、目的に沿ったソリューションを探そう。電話してくるありとあらゆるツールベンダーと会い、営業トークを聞き、デモを見て、バラバラのソリューションを買ってはいけない。ツールを買い集めても、フランケンシュタインの怪物（苦笑まじりに「フランケンスタック」と呼ばれることもある）やパッチワークのキルトのようなつぎはぎだらけのものができあがるだけだ。だから私は、ポイントソリューションをいくつも導入するのではなく、可能であれば、複数の課題を解決できる統合ソリューションやベンダーを選ぶようにしている。自社にとって何が適切かを理解する必要があるが、それが何であれ、目的をしっかり持とう。予算、営業チームによる認知度や集中力、導入してから実際に広く使用されるようになる機能には限りがある。

私は次のようなツールを選ぶようにしている。

- セールスレディネスシステムや組み込みの営業トレーニングシステムなどのシステムをサポートするツール。
- バイヤーエンゲージメントのイネーブラーとしてコンテンツ使用の管理、共有、追跡をサポートするツール（完了条件または意思決定条件をサポートするコンテンツを含むもの）。ワークフローの購買プロセスまたは営業プロセス（ＣＲＭ）を通じてコンテンツが営業担当者に提供されるのであれば、なおいい。
- 調査、リード生成、プロスペクティングをサポートするツール。
- 営業担当者が必要とするタイミングでトレーニングコンテンツ、リマインダー、その他のパフォーマンスサポート（ドキュメント、ジョブエイド、ワークシート、早見表）、役に立つ知見、プレイブックを提供するツール。
- リード生成のベストプラクティス適用において、リアルタイムのワークフローサポートを提供するツール（セールスエンゲージメントプラットフォーム（ＳＥＰ）、商談管理、戦略的アカウントマネジメントなど）。

ソフトウェアツールが「営業熟達と行動変容の５段階」をサポートする仕組み

プロセスまたは営業チームとともに達成しようとしている事柄をツールがサポートする仕組みの一例を見てみよう。私が図11－1に示した情報の共有を開始した頃、営業熟達の５段階すべての局面をサポートするには５～６種類のソフトウェアが必要だった。今では、ポイントソリューションをいくつかつなぎあわせることももちろん可能だが、１つのソリューションでも実現できる。

営業やセールスイネーブルメントの

図11－1
ソフトウェアツールが営業熟達の５段階をサポートする仕組み

ツールを選択または更新しようと考えるとき、私は2つのリソースを確認する。ナンシー・ナーディンの「スマート・セリング・ツール」とダン・サイリーとミーガン・サイリーの「ベンダー・ニュートラル」だ。これらのウェブサイトでは、本章よりずっと多くの助言やサポートを得ることができる。

概要

正しいツールを的確に使えば、効率性も営業の有効性も向上する（まずは営業の有効性の向上を目指そう）。難しいのは、あまりに多くのツールの中から適切なものを選ぶこと、ツールが持つ可能性に関する過大な宣伝文句に気をとられないことだ。賢く選ぶには、すでに自社で確立されたプロセスとワークフローをサポートするツールを選択するといい。「営業熟達と行動変容の5段階」（営業トレーニングシステムで紹介した、営業トレーニングのビルディングブロック（構成要素）を支える5段階）を用いた図11－1は、導入を検討しているツールが営業プロセス全体において組織をサポートできるかどうかを見極めるのに役立つ。

第12章 営業報酬

私は営業報酬の専門家とはいえない。それを恥ずかしく感じてはいないし、ご覧のとおり隠してもいない。個人的には、営業の給与体系はあらかた壊れていて大規模な見直しが必要だと考えている（もちろん、営業という職種自体についてもそう考えているので、なにもかも見直すのが好きなだけかもしれない）。

というわけで、営業報酬に関する深い知識を持ち合わせていないため、部門を超えた連携の力の恩恵を受けてきたし、その必要性を実感している。私は営業報酬の専門家となることなく、企業における営業パフォーマンス改善のリーダーシップを担い、単に生き延びるどころか確固たる成果を達成してきた。また、営業コンサルタントとしても優れた結果を残してきた。異議を唱える人がいることは承知しているが、私が開発してきた他のシステムと比べて、営業の給与体系の変更は組織的なパフォーマンス改善につながる可能性が低いと私自身は感じている（ただし、営業報酬が重要ではないとか、パフォーマンスに影響を与えないとかいう意味ではない点は強調しておく。私の経験からすると、営業報酬の影響力は他のシステムの影響力ほど大きくないというだけだ）。

ビジネススクールに通ったことがある方や、マネジメント理論について読むのが好きな方は、二要因理論を知っているはずだ。心理学者フレデリック・ハーツバーグによる動機付け・衛生理論である。この理論では、職場には仕事の満足度を高める要因と、不満につながる要因不足があるとされる。ハーツバーグはそれぞれを「動機付け要因」および「衛生要因」と呼んだ。衛生要因には給与、福利厚生、保険金の支払い、投資計画、休日などが含まれる。興味深いことに彼の研究では、報酬を含むこれらの要因は、高い満足度や高い動機につながらないことが示されている。ただし、衛生要因が満たされていない、あるいは望ましくないと感じられる場合は不満が生じる。

つまりハーツバーグによれば、望ましく公平な報酬プランが存在しないことは不満につながる。ただし、望ましく公平なプランがあっても必ずしも長期的な動機付けになるとはいえない。だからこそ私は営業報酬を、必要だが不十分なものとみなしてきた。営業報酬プランから多くの成果を得られるわけではないが、うまく設計できなければマイナスの結果が生まれる。

動機と金銭

ハーツバーグの理論には支持者と反対者がいて、動機付けと仕事の満足度に関してはかなりの量の調査がなされてきた。より詳しく知りたい場合は調査結果を確認してほしい。2要因理論に関しては、ウィキペディアに記載された概要【訳注：英語のみ】も非常にわかりやすい。

営業のプロフェッショナルは「コイン式」である、つまり金銭によって高い動機が生まれるのだと耳にしたことがあるはずだ。これはある程度は真実だし、他の職業と比較すると確かにそうなのかもしれないが、実際に行動を誘発する動機とはより本質的で、個人の内面から生まれる場合が多い。ダニエル・ピンクが著書『モチベーション3・0　持続する「やる気！」をいかに引き出すか』（大前研一訳、講談社、2010年7月）で指摘するとおり、本質的な動機を生む要因とは目的、自主性、熟達の追及である。だから適切な環境と企業文化を構築し、高いパフォーマンスを支えることが重要となる。とはいえ、給与体系も重要な役割を果たす。外発的に、あるいは外的要因（報酬、インセンティブ、認知など）によって動機を得る人もいるからだ。このような説明を行ったのは、正しい報酬プランの設定によって何かがうまくいく可能性より、誤った報酬プランの設定が大きな損害を生む可能性のほうが高いからだ。また、正しい報酬プランを設定すると、他のことを正しく行うより多くの効果が出ることもある。

初めて営業報酬プランの設計に携わったときのことだ。

1990年代初頭、私はフォーチュン25社に選出されたとある金融サービス企業で、全米の営業トレーニングチームを率いていた。最初は営業として働いていて、それから営業支社のリーダーとなり、営業トレーナー、トレーニングマネージャーを経て、最終的に全米の営業トレーニングマネージャーとなった。この分野での経験と、トレーニングプログラムの成功により、リーダーシップチームの仲間入りをしたわけだ。それで営業採用の改善、営業マネージャー育成などさまざまなプロジェクトに関与するようになり、ある年には営業報酬の課題に取り組むこととなった。

給与体系がうまく機能していないのは誰の目にも明らかだった。経営陣は3年、あるいは4年連続で報酬プランを変更していた。営業チームはそれにいらいらしていて、目の前のニンジンを動かされ続けているように感じていた。会社全体でも望ましい結果が出ていなかった。

だが、興味深いことがひとつあった。毎年振り返りを行い、プランを確認して、何を報酬とする設計だったのか見直してみると、その年の営業チームの行動の理由とその結果についてよくわかったのだ。ある年の報酬プランは規模（売上拡大）を重視していた。だから営業チームは売上の規模拡大を達成するために、大幅なディスカウントを提供せざるを得なくなった。それにより利益ある成長は遂げられなかった。

数年続けて営業目標が未達に終わった後、経営陣は委員会を結成して営業報酬の課題への対処を決定し、営業報酬プログラム設計の専門知識を備えた、高い評判を誇るコンサルティング企業を雇った。委員会の役割は、過去のすべての課題を洗い出し、コンサルタントがあらゆる観点を加味、理解できるようにすることだ。コンサルタントの役割は、企業が望む結果を実現し、営業チームからの激しい反対を呼び起こさない長期的な計画を委員会が立案できるようにすること。

戦略立案と同様、私たちは最終目標を念頭に置き、そこから逆算して何をやるべきかを探った。さまざまな職務間の連携が非常にうまくいっている環境で、私たちはさまざまなことを検討した。

- 過去の計画はどのようなもので、どのような結果が出たか。その理由はわかるか。
- 予算はどれくらいか。
- どのような行動が過去の結果を生んだか。
- 他に営業チームに提供したいものは何か。
- 結果、行動などを提供した場合、営業による望ましい行動や結果が促進されるか。
- 必要な指標を追跡し、プランの支払いを計算する能力が自社にあるか。
- パフォーマンスの各レベルにおける支払いはどのようなものか。それは自社が支払える予算内に収まっていると同時に、利益目標を満たしているか（モデル化できているか）。
- プランは、完全に書き直すのではなく、変化要因に応じて毎年修正できる程度の柔軟性を備えているか。

- 営業チームはプランを理解し、それに基づき賢明な営業、価格設定、交渉の意思決定を行うことができるか（あるいは、最近よく聞くように「スマートフォンの計算アプリだけで計算できるか」）。
- 営業が「プランのからくりを突き止めた」場合、どのような予期せぬ行動あるいは望ましくない行動が生じる可能性があるか。
- このプランを市場の他のプランと比較するとどうか（各職務における目標達成時の年俸や総営業報酬は、競合他社と比較するとどうか）。
- 職務に応じてカスタマイズする必要があるか。ある場合、それは可能か。
- プランの進捗、計算、支払いをどのように追跡、報告するか。

それからコンサルタントの指導のもと、理解すべきさまざまな報酬の要素について学び、検討が必要なものを確認した。

- ＯＴＥ（**売上目標を１００％達成したときに支払われる金額**）：妥当な目標と予算を達成したときに支払われる報酬総額。
- **ペイミックス**：プランの要素と、各要素の重み付け。ベース（基本給）、ボーナス、コミッション（歩合）、前払い、ＭＢＯ（目標管理、あるいは完了すべき目標とタスク）などが含まれる。よくあるミックス比率はベースが60％、ボーナスあるいはコミッションが40％。
- **追加と改良**：特別報奨金や動機付け。新しいロゴの製品を販売するたびにボーナスを受け取れるなど（企業買収による統合を進めるため）。

- **最小資格**：インセンティブ報酬を得るために営業担当者が達する必要のあるレベル。営業担当者が40％以上のディスカウントを行った場合、あるいは粗利益が特定の％未満の場合、企業はコミッションを払わない選択ができる。あるいは、営業担当者の年次予算達成率が70％未満の場合、本来は年1回支給されるボーナスを支払わないようにできる（「減速因子」も参照のこと）。
- **促進因子**：ある程度のパフォーマンスを達成した営業担当者の報酬を引き上げて、さらに高いレベルのパフォーマンスを促進する。たとえば、25％以上の粗利益を生む販売1件ごとにコミッションの比率を0・5％増やす。または、月次、四半期ごと、年次の予算達成後に通常より高い比率のコミッションを支払う。
- **減速因子**：最小資格と同様、減速因子とは引き算だ。パフォーマンスが低い営業担当者にペナルティを課し、パフォーマンスのレベルに応じて支払いを減らすかまったく支払わないようにする。
- **前払い**：前払いにはさまざまな選択肢がある。前払いとは、コミッションの獲得前に営業担当者に支払われる金額だ。新入社員向けに支払われることもある。回収できない前払いもある。回収できる前払いもある。つまり、前払いされた金額が回収されるまではコミッションが減らされたり支払われなかったりする。
- **クローバック（顧客の解約）**：サブスクリプションサービスなどで、顧客が事前に定められた期間

図12－1
うまく機能した営業報酬プラン

合計の支払いバケツ(年額)

ベース

2週間に1回支払い

- ベース年俸$X
- $X÷26

＋

コミッション

毎月支払い

- 12.5%以上のマージンの案件において売上1件あたり収益の1.5%
- 売上1件あたり最大 $25,000

＋

ボーナス

毎四半期支払い

- 売上額に応じて支払い
  - X以上：$5,000
  - A～B：$2,500
  - C～D：$1,500
  - E未満：$0
- 12.5%未満のマージンの案件では支払いなし
- バケツの金額は、売上目標が達成されなかった0に戻る

＋

マージン(利益)

毎四半期支払い

- 利益目標：15%
- 四半期ごとに支払い
  - 15%未満では支払いなし
  - 15～18%では $5,000
  - 18.01～20%ではさらに最大 $2,000 追加
- バケツの金額は、利益目標が達成されなかった場合0に戻る

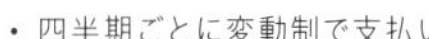

＋

年次プランの進捗(%)

毎四半期支払い

- 四半期ごとに変動制で支払い
  - プランの 85%未満=$0
  - プランの 85.01～98.9%=達成率 ×$10,000
  - プランの 99～105%=達成率 ×$10,000
  - プランの105.01～125%=達成率 ×$10,000
- 四半期ごとに0に戻らない
- 次の四半期で年次プランに追いついた場合最終ボーナスを得ることが可能

内（最初の90日など）に解約した場合、すでに支払われたコミッションを回収するために設計される。

- **無制限と制限あり**：非常に単純な要素。制限なしで作成されたプランでは、ものすごい規模の案件を獲得したり、売上目標を250％達成したりした場合、それに応じたコミッションが支払われる。その他のプランでは支払い額にある程度の制限がかかる。たとえば1案件あたりコミッションは最大25000ドルなど。
- **支払いの頻度**：35年この職種に従事してきたが、売上目標を100％達成した場合は毎日コミッションが支払われるプランから、毎週、2週間に1回、毎四半期、1年に2回、毎年までさまざまな支払いパターンがあった。

最初に紹介した金融サービス企業はどうなったのかって？

よくぞ聞いてくれた。

その企業では今まで誰も見たことのないような報酬プランを作った。なにしろ30年前のことだから、はっきりとは思い出せない。だが、概念は覚えている。まさに図12－1のような感じだった。プランは、その年企業が重要視している事柄に基づく、毎年調整可能な複数の売上カテゴリーを含む構造だった。たとえば売上、マージン、プランの比率、ディスカウントの比率、製品カテゴリー、クロスセルの比率など、その年の重要事項を強調したりしなかったりできる。

図12－1の例は「すべてプラス」である。つまり図全体で加算されていき、引き算の要素はそれほどない。ただしコミッションや四半期ごとのボーナスにおいて、マージンが12・5％に満たない案件は対象とならないことに気付くはずだ。

いくつかのカテゴリーでは報酬の最大額が事前に決定されている。図の一番上のバケツだ。少なくとも1つのバケツ（年次プランの進捗（％））で全額を受け取るには、営業担当者はプランを達成するだけではなく100％以上を目指さなければならない。このカテゴリーでは、資金は四半期ごとに没収されないため、プランに追いつけばあらためてコミッションを獲得できる。別のカテゴリーでは使用可能な資金は四半期ごとに消滅する。

このプランはスマートフォンだけで計算できるものではなかったとはいえ、営業チームからは大好評を博した。その年に収入を最大化する方法が簡単にわかったし、企業がレポートを調整した結果、営業担当者が優れた営業活動、価格設定、ディスカウント、交渉の意思決定をして望まれる成果を実現し、自身の収入を最大化するにはどうすればいいかがわかりやすくなったからだ。

数年後、私はその金融企業を離れた。その後何年も経過してから友人に聞いたところによると、その企業は別の企業に買収され、米国支部は閉鎖されたのだが、興味深いことに営業の報酬プランはいまだに現役らしい。私の仕事だと胸を張りたい気分だ。ただし、委員会に名を連ねていたすべての人が多くのインプットを提供したとはいえ、その働きを賞賛されるのはコンサルティング企業なのである。

別の企業に入った私は、その会社で報酬プランが争いの原因になっていることを知った。だから同じように新入社員が多かった人事部や、報酬の担当者を巻き込み（パフォーマンスチームを構築しているところだった）、連携して現場から見た課題や、現在のプランのせいで生まれた、道を踏み外した行動について教えた。そこまでやった後は人事部と報酬担当者に任せた。新たなイネーブルメントの役割を構築しているところで、採用、トレーニング、営業マネジメントの問題に取り組まなければならなかったからだ。

また別の会社では、新たな営業オンボーディングプログラムの成功を支えるため、新入社員が特定期間内にパフォーマンスのマイルストーンを達成した場合、営業担当者と営業マネージャー双方にインセンティブＭＢＯ（目標管理、あるいは目標達成のボーナス）を提供することにした。これにより新入社員もマネージャーもオンボーディングの学習や活動アクティビティを重視するようになり、関連する取り組みやコーチングにも真剣に向き合ったため、成果を達成できた。

私の経験では、営業報酬への関与のレベルは企業によって異なる。あるいは、何人かのイネーブルメントのプロフェッショナルから最近聞いたように、セールスイネーブルメント職種が報酬を担当することもある。ただし、多くのセールスイネーブラーは引き続き人事部や報酬のプロフェッショナル、外部の専門家と連携して報酬システムを設計することになるだろう。

このトピックは非常に広範で特定の専門知識が必要となるので、巻末に参考文献を記載した。より詳しく学びたい場合は参照してほしい。

概要

有効な営業報酬プランとその他の戦略的インセンティブの重要性は軽視できない。だが、争いの原因となったり、目標を達成するための不正な行動を生んだりする場合もある。つまり、誤ったプランの導入で損害が生じることが、正しいプランの導入により成功することより多い。営業報酬プランやインセンティブプラン設定へのセールスイネーブラーの関与レベルはさまざまだが、営業チームの報酬要素は幅広く存在しており、それらの影響を最大化するためにできることも多々ある。

第13章

営業マネージャーイネーブルメント

ご存じのとおり、リーダーシップ開発が当たり前となってからすでに何年も経過している。ところが、営業マネージャーイネーブルメントの概念はまだ生まれたばかりだ。多くの標準的なリーダーシップ開発が前線の営業マネージャーに適用可能だとはいえ、それで十分ではない。営業マネージャーには特別な要件があるのだ。

だから営業マネージャーイネーブルメントのビルディングブロック（構成要素）では、営業マネージャーならではのニーズに焦点を当てるが、標準的なマネージャーおよびリーダーシップ開発も必要だと考えている。営業マネージャーには特に、期待値設定、目標設定、アクティブリスニング（積極的傾聴）とコミュニケーションスキル、円滑な会議の進行、営業パフォーマンス管理に利用するスキルにお

図13－1
営業マネジメントシステム

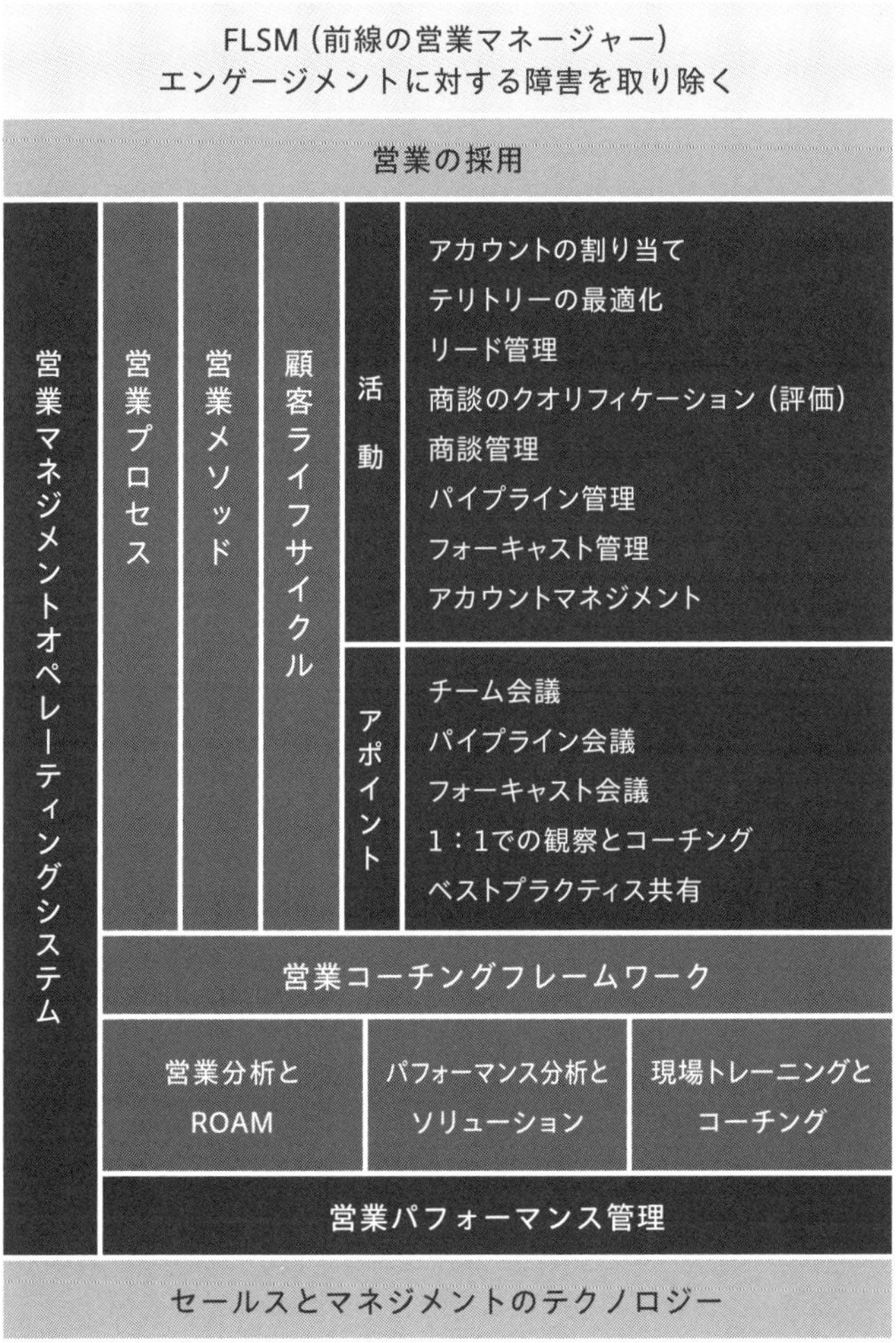

FLSM（前線の営業マネージャー）
エンゲージメントに対する障害を取り除く

営業の採用

営業マネジメントオペレーティングシステム

営業プロセス

営業メソッド

顧客ライフサイクル

活動
アカウントの割り当て
テリトリーの最適化
リード管理
商談のクオリフィケーション（評価）
商談管理
パイプライン管理
フォーキャスト管理
アカウントマネジメント

アポイント
チーム会議
パイプライン会議
フォーキャスト会議
1：1での観察とコーチング
ベストプラクティス共有

営業コーチングフレームワーク

営業分析と ROAM
パフォーマンス分析とソリューション
現場トレーニングとコーチング

営業パフォーマンス管理

セールスとマネジメントのテクノロジー

ける堅固な基盤が必要となる。この基盤も、営業マネージャーのイネーブルメントのビルディングブロックを支えるシステムの一部だ。そしてこのシステムこそが営業マネジメントシステムである（図13－1）。

営業マネジメントシステム

今まで紹介してきた他のシステムと比べると、このシステムの要素がかなり多く、複雑なことに気付くはずだ。詳しく見ていくと、前線の営業マネージャーが、現代の企業においても一、二を争う困難な役割である理由が明らかになる。

営業マネジメントに特化した書籍もあるし、このシステムの説明だけで1冊の本を書ける。だが、本書ではこの章でシステムを紹介し、読者の皆様がシステムを理解して構築できるようになるために多くの情報を提供するよう努めるつもりだ。

ＦＬＳＭエンゲージメントに対する障害を取り除く

これは前線の営業マネージャー（ＦＬＳＭ）の成功において最も重要な鍵となる。熟考し、注力する価値があるトピックだ。

以前、コンサルタントとして携わっていたとある企業のリーダーから、マネージャー陣にコーチングの方法を教えてほしいと依頼されたことがある。「なぜ御社のマネージャー陣がコーチングを行っていないとわかるのですか？」と尋ねると、ちょうど360度評価を行ったところで、営業担当者の大半が「マネージャーからコーチングを受けていない」と回答したという。そこで私はマネージャーと話し合いたい旨を伝え、フォーカスグループを結成した。すると、マネージャーがコーチングを行っていない理由が明らかになった。企業の経営層がFLSMに対して、あまりに多くの価値が低い要求を行っていたせいで、マネージャーはチームとの時間をとって現状と望ましいパフォーマンスとの差を診断したり、現場トレーニングやコーチングを実施してパフォーマンス改善に努めたりできなかったのだ。後者こそが前線の営業マネージャーの仕事だというのに。想像できないかもしれないが、これはよくある話だ。

障害を取り除き、マネージャーの効果的なコーチングスキルをさらに磨くと、素晴らしい成果を達成できた。最初に「営業を阻むビジネス」、あるいはこの例における「コーチングを阻むビジネス」を取り除くことから始めなければならない場合がよくある。これがこのシステムの最初のステップだ。

まずFLSM向けに設定された期待値（まだ設定していない場合は、明確な期待値の設定から始める）、成功の定義、経営層がどのような要求を行うせいでFLSMがチームとの高価値の活動を実施できなくなっているか（障害）について、よく調べてみよう。それからできるだけ多くの障害を取り除き、マネージャーが新たにできた時間を高価値の活動にあてられるようにする。活動の多くは、このシステム内の他の要素である。

営業の採用

営業の採用（あるいは人材獲得または営業の選考）はビルディングブロック4で詳しく説明したとおり、固有のシステムだ。このシステムの仕組みとプロセスは、大いなる成功の源となる。ただしそれは、システムを使用して有効な採用プロセスをカスタマイズし、定期的にうまく実行した場合のみである。前線の営業マネージャーはこのシステムの成功のイネーブラーにも、障害にもなりうる。だから営業の採用が営業マネジメントシステムに含まれているというわけだ。

はっきり言って、マネージャーは営業の採用システムの成り立ちにおいて周辺的な役割しか果たさない。彼らのフィードバックは、職務定義の作成や、コンピテンシーと欠点の特定、状況またはケーススタディを作成して仮言的判断やスキル検証およびシミュレーションを行う場合などに役立つ。だが、マネージャーの意見や直感が、導入しようとしている技術や、調査とデータに基づくその他の事柄を打ち消してはならない。

ＦＬＳＭが責任を負うのは、営業の採用システムにおける彼らの担当部分の実行である。それには次のような内容が含まれる。

・心理測定テストの結果を確認して面接に備える
・行動面接を行い、セールスイネーブルメントチームが作成した仮説の質問や判断質問をする
・シミュレーションを率いるか、参加する（採点も含む）
・身元照会を行う（営業マネージャーから以前の営業マネージャーへの電話など。ただし多くの企業がこの作業をアウトソースしていたり、人材獲得チームのメンバーにやらせたりしている）
・面接者によるフィードバック醸成セッションに参加して各面接者の観点を理解し、最終的な採用の判断を行う

適切な採用を行うにはＦＬＳＭを関与させ、連携し、効果的に実行する。その成果はかなり大きい。

営業マネジメントオペレーティングシステム

営業マネジメントオペレーティングシステム（ｓｍＯＳ）の特定の活動と、それらが発生するリズムは、さまざまな要因（営業の差異）に基づいており、企業によって異なる。できるだけ一般的な要素を選んだつもりだが、それぞれを見極め自社に合ったものを選んでほしい。

図13－1について説明する。

・オペレーティングシステム（左側）には、マネージャーが頻繁に行う活動と、それらが発生する頻度が入る。
・営業プロセス、営業メソッド、顧客ライフサイクル（中央）は右側で発生する活動の礎であり、背景となる。マネージャーはプロセス、メソッド、顧客ライフサイクルに精通して、チームを導く必要がある。
・活動（右側、アカウントの割り当て～アカウントマネジメント）はマネージャーがｓｍＯＳを遂行するために行う事柄だ。各活動を成功させるには特定の専門知識が必要となり、多くはチームまたは各チームメンバーとの定期的なミーティングで実施される。
これらの活動は企業によって異なる。図に記載されているのは一般的なものばかりだが、一例であって必須ではない。

また、さまざまなチームあるいは担当者とのアポイントもある。
・月次または週次のチーム会議
・個別またはチームのパイプラインレビューとフォーキャスト会議
・ベストプラクティス共有を目的とする、定期的なチーム会議（２週間に１回か月に１回が多い。ベストプラクティスの共有だけを行う場合も、別の月次チーム会議の一部となる場合もある）
・１オン１の会議またはコール同席、あるいは録音したコールのレビュー

・個別のコーチングセッション
　ｓｍＯＳを導入する場合、リーダーシップチームはどの活動と会議を含め、どのベストプラクティスを各活動や会議に当てはめ、どのような頻度で行うか（日次、週次、隔週、月次、四半期に1回など）を決める必要がある。

営業プロセス

　当たり前だと思われるかもしれないが、マネージャーはセールスイネーブルメントチームが作成した営業プロセスや、そのプロセス内で発生する活動に精通している必要がある（驚くことに、私が会話を交わした多くの営業マネージャーはプロセスとメソッドの違いを明確に定義することができなかったので、それほど当たり前でもないのかもしれない）。営業プロセスとは、購買の意思決定に達するまでに商談が通過する段階を意味する（ビルディングブロック7を参照）。

　あらゆるプロセスと同様、営業プロセスにはプロセスの段階（この場合は商談が通過する段階）、各段階の目標、各段階で実行されるタスク、各段階における望ましい成果（「顧客が実感できる成果」とも呼ばれる）などが含まれる。購買プロセスとしっかり連動できた場合、購買プロセスの完了条件も含まれる。

営業プロセスは顧客ライフサイクルと購買プロセスに対応したものであるべきだ。営業担当者をロボットのように従わせる、柔軟性に欠けた、内から外に向いたプロセスであってはならない。前述のとおり、営業プロセスは購買プロセスと連動するだけでなく、購買プロセスの完了条件を記録する必要もある。営業マネージャーがこの連携と記録という作業を行うわけではないが、内容についてはしっかり把握し、それを踏まえて営業チームが活動できるようにしなければならない。

購買プロセスにおける顧客の位置付けを営業担当者が特定して、適切に対応し、ＣＲＭにしっかり商談記録を残しているかどうかを、ＦＬＳＭは確認する。私はこれをｓｍＯＳの「営業プロセス」と呼んでいる。他の側面については、このあと活動の要素と併せて説明する。

商談のクオリフィケーション、商談管理、パイプライン管理も営業プロセスと密接に関連しているが、これらは営業プロセス、営業メソッド、顧客ライフサイクル内で発生する活動として個別に紹介する。

営業メソッド

営業メソッドは営業プロセス内で発生する、顧客または顧客対応型の営業タスクだ（第９章を参照）。営業プロセスの各段階で営業担当者が行う事柄で、営業スキル（顧客とのプロセスを進めるにあたって営業担当者が使用するフレームワーク、モデル、スキル、コンピテンシー、行動）に関連している。

すべてのプロセスタスクが含まれるわけではない。顧客との直接的なやりとりあるいは営業スキルに関係しないタスクもあるからだ。どの営業メソッドを使用するにしても、ＦＬＳＭは次の状態である必要がある。

- メソッドに精通している
- 営業担当者がメソッドを使用しているとき、あるいは使用していないとき（どのような営業活動をどれだけ行っているか）を判断できる
- 営業担当者がメソッドをどの程度使用しているか、あるいは使用していないか（活動の質）を判断できる
- 営業担当者がより良い営業成果を残せるように、高いレベルのスキルパフォーマンスをコーチングできる

営業メソッドはセールスレディネスシステム（メソッドの適応）と営業トレーニングシステム（教示、維持、転移、コーチングによるメソッドの熟達）に結びついているので、ここでは詳しく説明しない。ＦＬＳＭにはメソッドのベストプラクティスについて理解し、選択された営業メソッドを診断、トレーニング、コーチング、サポートできるようになる必要があるのだと示すため、メソッドに言及したまでだ。

顧客ライフサイクル

前線の営業マネージャーは、営業プロセスや営業メソッドと同様に、顧客ライフサイクルも理解し、それに沿って行動して、営業担当者が適応できるようトレーニングするべきだ。顧客ライフサイクルについて詳しくは、第8章を参照してほしい。

アカウントの割り当てとテリトリーの最適化

組織がどのような方法でアカウントとテリトリーの潜在価値を分析し、それらを営業担当者に割り当てていようとも、営業マネージャーはテリトリー最適化に対する組織の施策を理解し、チームが割り当てられたアカウントやテリトリーで最大限の力を発揮できるように導かなければならない。

予算と目標設定

前線の営業マネージャーは最終的な予算を承認する役割ではないかもしれないが、少なくとも予算がチームメンバーにとって達成可能であることを確認するプロセスに関与している必要がある。自身が管轄する部署やリージョンの予算をテリトリー全体に公平に分配する作業にも参加する。

リード管理

リード管理の多くはサポートされている営業の職務、マーケティングチームが需要生成を行う方法、セールスデベロップメントチームの有無などの要因に依存する。だから汎用的なモデルをおすすめすることは難しい。企業がリードを促進する仕組みや、リード生成、プロスペクティング（案件発掘）、リード管理に営業チームを関与させる仕組みがどのようなものであれ、ＦＬＳＭは営業担当者に期待されている行動を詳しく把握し、必要に応じて営業担当者の評価、現場トレーニング、コーチングを実施できるようにする。リード管理には次の内容が含まれる。

- ソーシャル調査、ソーシャルマーケティング、ソーシャルナーチャリング（醸成）
- テリトリー、アカウント、連絡先の調査
- アラートまたはソーシャルリスニングツールを使用した、トリガーイベントやセールスシグナルの監視
- マーケティングまたはセールスデベロップメント担当者（ＳＤＲ）から引き継いだリードの迅速かつ効果的なフォローアップ

・リードのクオリフィケーション
・CRMへの適切なリードと商談の入力
・補助的なセールスエンゲージメントツールとセールスイネーブルメントツールの使用（これは個別の要素だがこちらにも該当する）

商談のクオリフィケーション

リード、案件、セールス、商談。なんと呼ぶにせよ、そしてどのようなシステムを使用するにせよ（多くのシステムが存在する）、それらのクオリフィケーションを行うメソッドのトレーニング、コーチング、管理は営業マネジメントの主要な要素だ。

クオリフィケーションのスキルと、パイプライン管理（いまだにファネル管理と呼ばれることもある）、商談管理、フォーキャスト管理は明らかに重複する。だが、クオリフィケーションは非常に重要であるにもかかわらず、適切に実施されていない場合があまりに多いため、特別に紹介するスペースを設けるに値すると考える。専門的なクオリフィケーションによって営業プロセスやフォーキャスト管理にまつわる下流の問題の多くを解決できる。どの企業もクオリフィケーションを優先するべきだ。

もしまだクオリフィケーションに注力していないのであれば、商談スコアリングシステムを使用してクオリフィケーションと商談獲得率を判定し、ＣＲＭで追跡して誰もが状況を確認し、責任感を持てるようにしよう。

商談管理

商談管理とは、パイプライン内の商談に対して営業メソッドを効果的に適用することだ。それにより営業プロセスの段階を進む商談を管理して、目標を達成できる。

商談管理にはあまり知られていないコツがある。顧客または意思決定者の購買プロセスの完了条件を発見し、それらを満たして継続的なコミットメントを得て、商談を前進させることだ（繰り返しになるが、購買プロセスの完了条件には、顧客が各段階で営業と連携して商談を前進させるために、見て、聞いて、感じて、理解して、信じる必要があるすべてのことが含まれる）。

パイプライン管理

前述のとおり、これらの要素の多くは密に関連している。パイプライン管理は営業プロセス、営業メソッド、商談クオリフィケーション、フォーキャスト管理と結びついている。

商談管理とは、営業プロセスを通じて単一の商談を管理することを指す。パイプライン管理とは、複数の商談（パイプライン全体）を適切に管理して、事前に設定された目標や予算を達成することだ。パイプラインを埋めて、より大きな規模で商談管理を行う方法である。

ＦＬＳＭはパイプライン管理の専門知識を得て、パイプラインのレビューセッションを実施し、営業担当者が自身のパイプラインをしっかり管理できるようトレーニングやコーチングを行い、導く。パイプライン管理と商談のクオリフィケーションを組み合わせると、パイプラインの健全性（とフォーキャストの精度）は劇的に向上する。見落とされたり、なおざりにされたりしがちだが、これは営業に関する単純な真実だ。営業担当者が自分のパイプラインをしっかり管理できれば、マネージャーの部署あるいはリージョンのパイプライン達成につながる。

フォーキャスト管理

的確なフォーキャストが実現できないことは多くの企業で悩みの種となっている。フォーキャストについて書かれた書籍、ｅブック、パンフレット、ホワイトペーパー、記事、ブログ投稿が数え切れないほどある。企業によるフォーキャスティングの取り組みを支えるためだけに存在するソフトウェア製品や企業まである。それなのに世界的な調査や企業のパフォーマンスによると、多くの企業がフォーキャストに失敗している。フォーキャストにいたるまでの他の事柄をうまく実施できていないというのが大きな理由だ。

優れたフォーキャスト管理とは、その他の成功の積み重ねである。実施すればフォーキャストが改善される。健全な商談のクオリフィケーション（評価）、営業プロセスの連携、健全なパイプライン管理、効果的な営業メソッドの実施によって、良質な商談が生まれ、より精度の高い方法でステータスを評価できるようになる。つまり商談の予測を立てやすくなり、現代における低精度のフォーキャストよりずっと的確な結果が出る。

マネージャーはフォーキャストについて知り尽くし、精度の高いフォーキャストに必要とされる事柄を営業担当者が行えるように導かなければならない。他の活動を修正すればフォーキャスティングは改善する。フォーキャストのニーズを満たすためだけに営業担当者に毎週次または毎月情報のアップデートを求めたあげく、データの多くをでっち上げたり、データに適当なフィルターをかけて自分が望む数値を無理やり出したりしても、高精度のフォーキャストは得られない（そんなことばかりしていると、月末には占いに頼るはめになる）。

アカウントマネジメント

これも重複するトピックだ。アカウントマネジメントのスキルは営業メソッドの一部であり、営業担当者が行う事柄だ。ただし、プロセスの管理、アカウントプランニングの実施、戦略的アカウントマネジメントは営業マネージャーが行う事柄の一部である。

多くの企業でアカウントマネジメントはないがしろにされているといって差し支えない。どう見ても、営業コールの目標（およびバックアップの目標）、コールプラン、アカウント目標、SWOT分析、フォースフィールド分析、しっかり構築されたアカウントプランが不足している。プランがあったとしても、使用されないまま棚、引き出し、デジタルファイルの中で埃をかぶっていることがほとんどだ。アカウントインテリジェンスの収集、共有、使用がなされておらず、戦略的アカウントマネジメントの多くの側面が欠けている。大多数の営業メソッドが不完全で、営業の一部にのみ焦点を当てており、エンドツーエンドの顧客ライフサイクル管理の重要性を認識できていない。

マネージャーはアカウントマネジメントに関しても専門知識を蓄え、チームがより優れたアカウントマネジメントを実現できるようリードする必要がある。

チームと営業担当者の会議

営業マネージャーは事前に設定された間隔でさまざまなチーム会議や個別の会議を開催し、主導しなくてはならない。会議の種類は企業によって異なるため、どの会議が適切か判断し、それぞれにおけるベストプラクティスを決定し、望ましい間隔を設定して、定期的に実行する。会議の種類はさまざまだ。

- 週1回、隔週、または月1回のチーム会議（あるいは短い週次会議と、長めで充実した内容の月次会議）
- チームとの隔週のパイプライン会議
- 週1回の個別の営業担当者とのパイプラインおよびパフォーマンスレビュー会議
- 月末（EOM）と四半期末（EOQ）のフォーキャスティング会議（パイプライン会議とは別）
- パフォーマンスの確認。営業コールのリスニング（ライブあるいはコールの録音）または顧客とのアポイントへの同席（対面会議、バーチャル会議、コールの録音）、およびその内容を踏まえた現場トレーニングとコーチングによるフォローアップセッション
- ベストプラクティス共有あるいはチームトレーニング会議
- 定期的に、あるいは必要に応じて使用するバーチャルコーチングツール（すでに使用しているはず）

営業コーチングフレームワーク

営業分析とＲＯＡＭ

まるでなんらかの浸透作用や魔法によって、ＦＬＳＭが営業分析の実施、確認、解釈、使用方法を理解してくれるはずだと私たちは思い込んでいるようだ。だがそんなふうにはいかない。多くのマネージジャーは私が「営業の数学」と呼ぶ事柄（数字が本当は何を表すか、営業担当者の目標と実際のパフォーマンスの差をどう診断するか）をしっかり理解できていない。

前線の営業の職種から営業マネジメント職種に移行した多くの人は、活動の指標、先行指標と遅行指標、その他のレポートが実はスキルと行動につながっていること、分析を使用すれば改善すべき分野を診断できることを理解していない。

これらに関するトレーニングを営業マネージャーに提供していないのなら、提供するべきだ。いつまでも魔法を信じていてはいけない。

ＲＯＡＭという営業診断モデルを使用すると、営業マネージャーはコーチングの取り組みにおいて何に重点を置けば最良の結果が得られるか、うまくいっていない事柄をどう調査して修正できるかがわかる（ビルディングブロック6を参照）。ＲＯＡＭは次を意味している。

- **結果（Result）**と**目標（Objective）**（結果と目標を比較して差を特定する）

- **活動（Activity）**（営業担当者が実施している活動の内容、相手、程度、可能であればタイミングと場所を確認する）
- **メソッド（Methodology）**（営業メソッドをどの程度実行できているかや、営業活動の質を判断する）

私は「パートナーシップコーチング」というプログラムを設計した２００４年に初めてこのメソッド（当時はＲＡＭと呼ばれていた）を使用して優れた成果を達成した。それ以来繰り返し使用しているが、しっかり実行できたときに失敗したことは一度もない。

結果を確認するだけではなく、それらを当初の目標と比較しなければいけないことをユーザーが忘れないように、２０１６年には目標を追加した。これでマネージャーは不足部分を特定し、どの領域に注力すべきか判断できるようになった。驚くほど単純なことだが、多くのマネージャーはどの時点から目的を持ったコーチングを開始すべきか計画を立てていない。日和見だったり、偶発的だったりする場合が多く、結果としての「コーチング」はコーチングというよりも命令に近いフィードバックと化している。

パフォーマンス分析とソリューション

これについても営業コーチングの章で説明した。ファーディナンド・F・フーニーズが考案したものをアレンジしたパフォーマンスグラフ（図７－４）の状況、理由、ソリューションを使用すると、パフォーマンスの問題の原因を説明し、トレーニングやコーチングなどのソリューションを使用すべきタイミングを特定できる。

現場トレーニングとコーチング

現場トレーニングとコーチングは決して難しくはない。ただし、ニーズに対するトップダウン型のコミットメント、障害を取り除く意思、これらのシンプルなメソッドの教示、コーチングを取り込み結果を追跡するシステムの設定、マネージャーにそれらに対する責任を課す心構えが必要だ。第7章を参照してほしい。

営業パフォーマンス管理

営業パフォーマンス管理の一部は、(教えられたスキルを維持し、企業文化に変更点を根付かせるため)営業トレーニングシステムを使用した営業トレーニングのビルディングブロックに組み込まれている。マネージャーは営業パフォーマンス管理に長けている必要がある。優れた成果につながる営業担当者の行動がわかれば、他の営業担当者にもその基準(活動、メソッド、結果)を満たすよう求め、それに応じてパフォーマンスを管理できる。前線の営業マネージャーに関しても同じことだ。パフォーマンス管理は営業組織の基本構造の一部として、営業チームをサポートするという意図に基づき適用される、企業文化の期待値であるべきなのだ。

営業組織が他の組織とは比べ物にならないほどガチガチに管理されているのは不公平だと思われるかもしれないが、忘れてはいけないことがある。他の部署も顧客や組織に多大な価値を提供できる。他の部署も組織のリスクを生じさせたり、そのリスクを取り除いたりする（たとえば会計のミスは悪夢だ）。だがマーケティングという例外を除けば（需要生成、ＡＢＭ（アカウントベースドマーケティング）、マーケティング主導型の収益実現はますます注目を集めている）、営業がうまく機能しない場合に企業を救える部署や役割は他に存在しないのだ。

誰かが何かを売るまでは、何も起こらない（顧客中心の視点に立てば、誰かが何かを買うまでは何も起こらない、とするべきか。いずれにせよ、販売が行われる必要がある）。だから営業チームを労い、エンゲージメントを促進し、彼らの問題に耳を傾けて解決し、営業および営業のトレーニングと育成を支えるインフラストラクチャに投資する。それらすべてを行うと同時に、パフォーマンスを管理して、自身の営業パフォーマンス管理に責任を持たせる。前線の営業マネージャーはこれを行う方法、というよりもうまく行う方法を知っていなければならない。

だが現在、営業パフォーマンス管理に含まれる内容はさらに増えている。ガートナー（２０１８年）

はＳＰＭ（セールスパフォーマンスマネジメント）ソリューションを次のように定義している。

バックオフィスオペレーションの営業インセンティブプロセスを自動化し統合する、運用機能と分析機能を備えたソリューション。ＳＰＭを導入すると、営業の実行と運用上の効率性を改善できる。

ＳＰＭにはこのような機能がある。

・営業インセンティブ報酬管理（ＩＣＭ）
・目標管理
・予算管理とプランニング
・テリトリー管理とプランニング
・高度分析（ベンチマーキング、予測分析と処方的分析、機械学習または認知解析）
・ゲーミフィケーション

ガートナーのレポートにおいて最も力強いのが、次の文章だ。ＳＰＭの潜在的な可能性、補助ソフトウェア、誰もが使用を検討すべき理由について書かれている。

ＳＰＭは給与とパフォーマンスに対するリアルタイムの可視性を実現して、営業担当者が成果を生むまでにかかる時間を削減する。商談に関して予測されるコミッション（歩合）を提供し、営業担当者がより正確なフォーキャストをCRMシステムに入力するようサポートして、収益性のある売上のクロージング率向上を促す。SPMとCRMを組み合わせれば、企業の市場参入の取り組みに対する実行結果が改善され、テリトリーおよび現場の営業担当者レベルでより効果的な報酬プランを実現できるようになる。（ガートナー2018）

少なくとも前線の営業マネージャーはパイプライン管理、フォーキャスティング、営業担当者のパフォーマンス管理、営業分析およびそれらに関する現場トレーニングとコーチングに積極的に関与しなければならない。可能であれば、SPMソフトウェアが持つ可能性についても調べ、マネージャーや営業チームが必要とする追加のサポートを提供できるよう検討したい。

セールスとマネジメントのテクノロジー

今まで働いてきた数々の企業で、マネージャーがCRMシステムやその他の営業サポートテクノロジーの使い方を知らず、頻繁にサポートを依頼する場面を何度目撃したことか。その場合、なぜセールスイネーブルメントツールが必要で、どうすれば効果的に使用できるか説明しても、無駄に終わ

図13－２
営業マネジメントシステム（再掲）

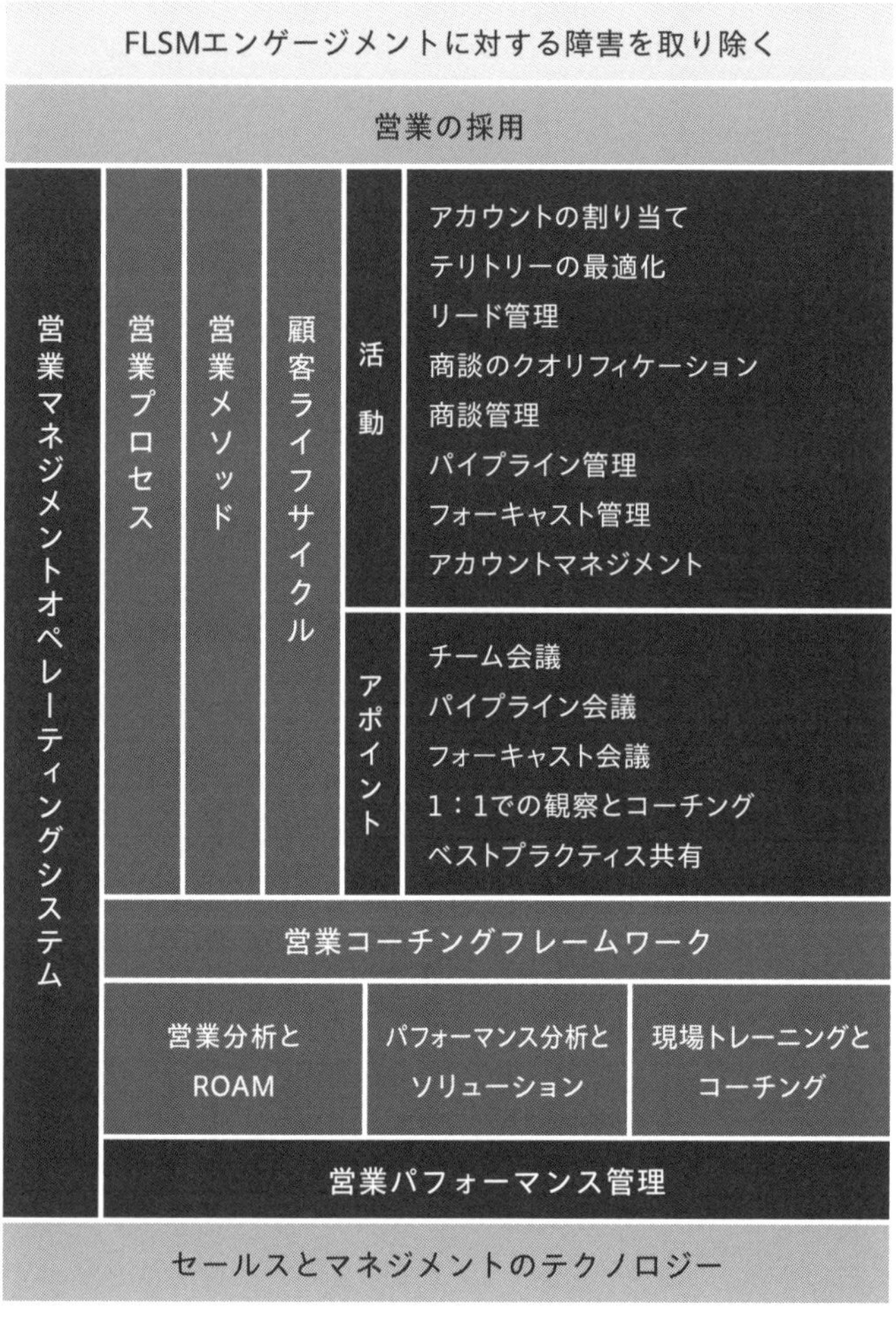

FLSMエンゲージメントに対する障害を取り除く

営業の採用

営業マネジメントオペレーティングシステム

営業プロセス

営業メソッド

顧客ライフサイクル

活動

アカウントの割り当て
テリトリーの最適化
リード管理
商談のクオリフィケーション
商談管理
パイプライン管理
フォーキャスト管理
アカウントマネジメント

アポイント

チーム会議
パイプライン会議
フォーキャスト会議
1：1での観察とコーチング
ベストプラクティス共有

営業コーチングフレームワーク

営業分析とROAM

パフォーマンス分析とソリューション

現場トレーニングとコーチング

営業パフォーマンス管理

セールスとマネジメントのテクノロジー

る（第11章を参照）。

前線の営業マネージャーはテクノロジーに親しみ、熟達する必要がある。私たちは21世紀に生きているのだ。アドレス帳、名刺ファイル、手動作業は過去の遺物となった。

マネージャーに対する期待値を明確に設定して、その論拠とＲＯＩの例、トレーニング、練習、サポートを提供し、ツールを最大限活用できるようにしよう。そうすればマネージャー自身が同じことを営業担当者に対して行えるようになる。

概要

この章では営業マネジメントシステムとその要素について説明した。これまでに紹介した他のシステムと比較すると複雑だが、営業マネージャーの成功を大きく左右するシステムだ。営業マネージャーは期待値と目標の設定、アクティブリスニングとコミュニケーションスキル、円滑な会議の進行、パフォーマンス管理に必須となるその他のスキルにおける堅固な基盤を必要としている。このシステムの一部は難しいかもしれないが、説明を受ければ大抵の営業マネージャーはすばやく理解できるはずだ。その後は、規範に基づく実行と熟達をサポートすればいい。このシステムのアプローチは、営業マネジメントの取り組みに変換できるといっても過言ではない。

第14章 コミュニケーション管理

営業チームと部門間連携

ピンク・フロイドについて話しているのでなくとも、「ブリック・イン・ザ・ウォール【訳注：ピンク・フロイドの楽曲「アナザー・ブリック・イン・ザ・ウォール」から。「壁を形作る煉瓦のひとつ」という意味】」という言葉を使うことがある。セールスイネーブルメント実践者が営業チームのパフォーマンスを支えるために協業する、すべての企業の役割や部門を指すときだ（図14－1）。

だが、コミュニケーション管理をビルディングブロック（構成要素）とみなしてはいない。私はこれを、システム思考と同様、他のビルディングブロックを支えてつなげる活動だと考えている。

このことについて議論したいと考える人がたまにいて、彼らにとってコミュニケーション管理が重要なトピックなのであれば、私はすぐに考えを相手に合わせるようにしている。ビルディングブロックと呼びたいなら、そう呼べばいいのだ。活発な議論は好きだが、私の友人であり同僚のダグ・ワイアットがよく言うとおり、「この丘で死ぬつもりはない」（「はじめに」でも述べたとおり、「地図は現地そのものではない」）のである。

本章では、コミュニケーション管理において重要な事柄を紹介する。

図14－1
セールスイネーブルメントの協力者―ブリック・イン・ザ・ウォール

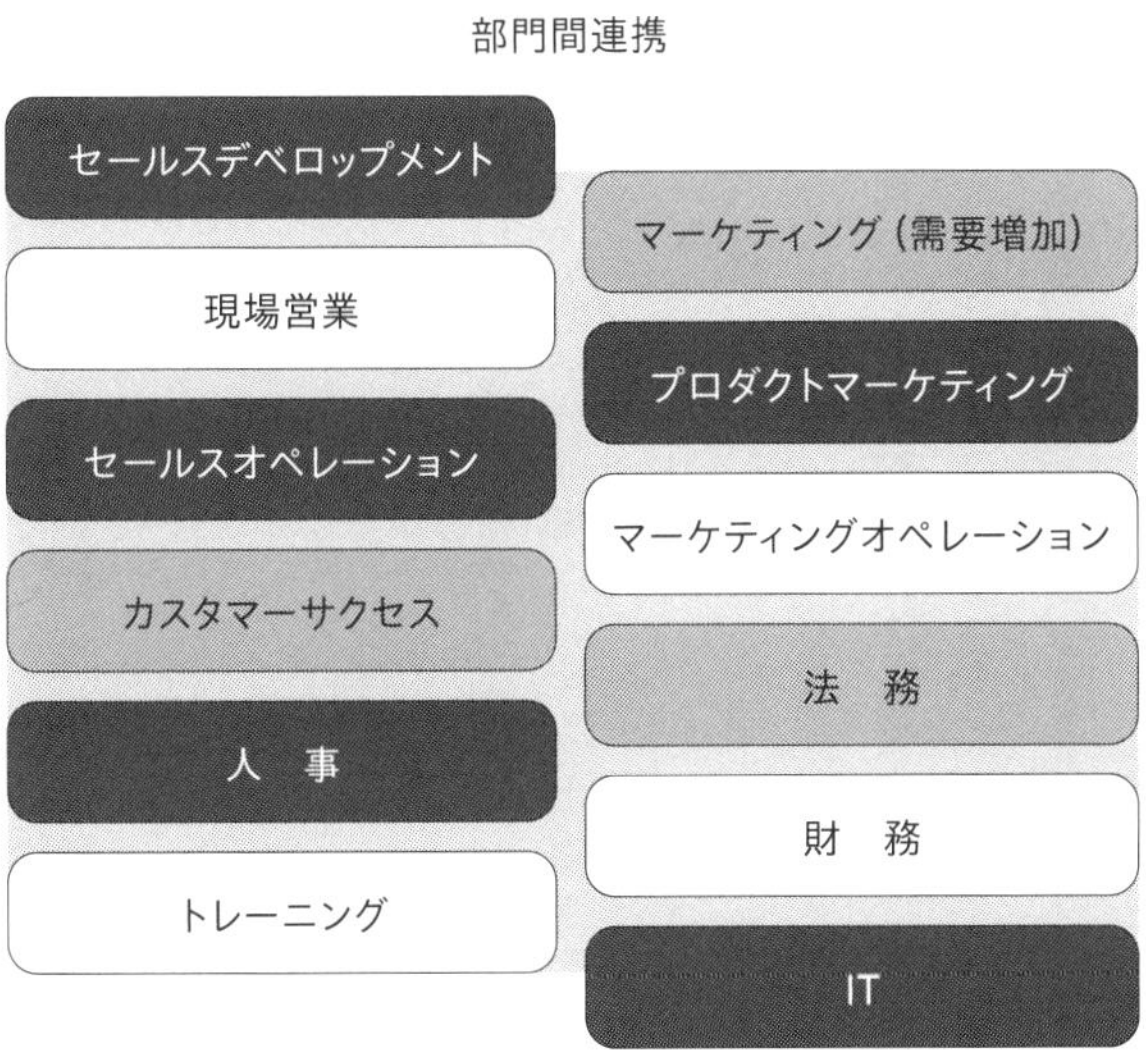

部門間連携

セールスデベロップメント	マーケティング（需要増加）
現場営業	プロダクトマーケティング
セールスオペレーション	マーケティングオペレーション
カスタマーサクセス	法　務
人　事	財　務
トレーニング	IT

営業チームとのコミュニケーションの一元化

これはセールスイネーブルメントのコミュニケーション管理における第1の重要なトピックである。リーダーがさまざまな媒体を使用して頻繁にコミュニケーションをとろうとすると、営業はたちまち混乱し、閉口してしまう。さまざまな相手から複数の方法で提供されたり、メールの山に埋もれたり、削除されたりしたため必要な情報がどこにあるかわからなくなってしまうなんて、営業担当者やマネージャーにとっては最悪な事態だ。セールスイネーブルメント部門がこの混乱を削減、排除する方法をいくつか挙げる。

- 営業チームのための単一の連絡先となる（ただしシニア営業リーダーあるいはＣＥＯは除いても可）
- 定期的に連絡する（緊急事態や商談獲得のお知らせもセールスイネーブルメントチームが担っている場合、これらは除く）
- 営業チームが常に情報を検索、発見できる一元化された場所に情報を保存する

どれも難しくはない。最も困難なのは、営業チームと直接コミュニケーションをとりたいと考えている他の部署からトップダウンのサポートや同意を得ることだ。ただし、コミュニケーションの重要性、情報が消費される可能性の向上、必要なときに情報を発見できるというメリットが、あらゆる懸念を払拭してくれるはずである。

コミュニケーションまたは保存と取得のプラットフォームとして、組織が使用できるものはさまざまだ。

- 情報保管および取得システム
- 知識管理システム
- デジタルドキュメント管理ソフトウェア
- 自社のセールスイネーブルメントソフトウェアまたは学習体験プラットフォーム
- ウィキ
- シンプルで検索しやすいイントラネットサイト（ブログに似たもの）。週に1回、または2週間に1回の連絡内容に移動できる日付入りのリンクを付ける

コミュニケーション形式も重要な検討事項だ。インストラクショナルデザイナー、コミュニケーションの専門家、情報マッピングに詳しい人の助けを借りれば、読者による情報の吸収と保持が容易で、再利用可能なフォーマットを用意できる。「誰が、何を、なぜ、いつ、どこで」という簡単な問いに答えるだけで必要なものが見えてくる場合もあるが、私は情報マッピングを行うことを強くおすすめする。トレーニング設計、ドキュメント設計、コミュニケーションに情報マッピングがどれほど役に立つかわかれば驚くはずだ。

協力者や関係者との進行形のコミュニケーション

これは第2の重要なトピックである。定期的な打ち合わせやコミュニケーションを設定する必要があるのは、このような人々だ。

・マネージャーとチームの同僚（すでに行っているはず）
・別部門の連携パートナー
・エグゼクティブチームやその他の経営層の関係者

こうした人々との会議、議題、コミュニケーション、そして連絡の頻度は連携方法によって異なる。一般的には、協業の取り組み、進捗報告、結果、課題を確認し、必要に応じてプランや規約を見直す。頻度は週次、隔週、月次、四半期に一回などがある。

たとえばプロダクトマーケティングチームやマーケティングチームとは、コンテンツ使用について話し合う。どのコンテンツが営業チームによって使用されているか、あるいは使用されていないか、または使用されていても顧客に対する効果がみられない場合などについて、まず話し合うことをおすすめする。最終的に回帰分析を行うに足るデータを得られれば、より詳細な調査を行い、どのコンテンツを（いつ誰に対して）使用した場合、プラスの成果（営業プロセスの次の段階への移行または勝率）を得られたかを関連付ける。

自社の他の協力者とも同様のコミュニケーションをとる。こうした協業や進行形のコミュニケーションの基盤構築は、第16章「開始する方法」で紹介するセールスイネーブルメント憲章の一部となる。

概要

コミュニケーション管理はひとつのビルディングブロックとみなしてもいいが、どちらかというとシステム思考とビルディングブロック実行の両方における重要な補足要素だと私は考えている。セールスイネーブルメント担当者は、２つの重要なグループとコミュニケーションをとることになる。営業チームとその他の人々（同僚、協力者、関係者）だ。どちらのグループに対しても、打ち合わせのスケジュールや通知を介した、定期的かつ柔軟なコミュニケーションが必要となる。すでに確立済みだったり経験済みだったりすることもあるだろう。信頼性の高い情報ネットワーク、部門を超えた連携、関係者の割り当て、明快なコミュニケーションがチームと組織の関係性の構築および維持の礎になるのだと肝に銘じよう。

第15章 営業サポートサービス

長年にわたり、企業が営業チームに提供するさまざまなサポートサービスを見てきた。こうしたサービスはセールスオペレーションチーム、マーケティングオペレーションチーム、営業事務、営業トレーニングチームから提供される場合もある。予算とリソースがあり、営業サポートサービスを提供する意志があるなら、セールスイネーブルメントサービスとしての提供を調整してもいい。

私が見てきたサポートサービスの例を挙げる。

オーバーレイと領域専門家リソース

これはよくあるサービスのひとつだ（ただし別の部門が提供しているのであればセールスイネーブルメントチームがわざわざ調整する必要はない）。

オーバーレイ【訳註：営業のスペシャリスト】と領域専門家（ＳＭＥ）サポートとは、営業スペシャリストの役割を指す。アカウントエグゼクティブやアカウントマネージャーは、この職種と連携して購買プロセスを辿る顧客、またはソリューションを導入しようとしている顧客をサポートする。顧客がソリューションを導入しようとしている場合は、カスタマーサービス部門やカスタマーサクセス部門がサポートを依頼することもある。これらのセールススペシャリストは通常、専門分野における深い知識と経験を持つ。営業活動では、問題やソリューションが複雑あるいは非常に技術的だったり（エンタープライズソフトウェアなど）、高度なエンジニアリングあるいは複雑な工程を経て製造された製品（医療機器、ヘルスケア機器、石油掘削装置、モノのインターネット（ＩｏＴ）エッジコンピューティングセンサーなど）を販売したりすることがよくある。営業チームを、特定の製品シリーズのみに特化する非常に専門的な知識を持ったセールススペシャリストに分割している組織もあるが、より頻繁に活用されるのがオーバーレイＳＭＥだ。

このような専門家が存在する。

・セールスエンジニア
・ソリューションアーキテクト
・プロダクトマネジメントチームのメンバー
・エンジニアリングまたはR＆Dチームのメンバー
・新たにリリースされた複雑な製品シリーズやサービスシリーズを担当する一時的なスペシャリストチーム

セールスイネーブルメントが提供できる最大の価値とは、オーバーレイのサポートを依頼またはスケジュール設定するプロセスが、他のサービスと同じで一貫性があるかどうか、そして営業チームがサポート依頼の要件とプロセスを理解し、両方を遵守しているかどうかを確認することだ。

アカウント調査サービス

調査サービスには業界、市場、企業、連絡先の調査が含まれる。営業担当者は営業活動や顧客と過ごす時間を十分とっていないといわれる。調査サービスは、営業担当者が営業以外の活動にかける時間を削減し、案件発掘や重要な顧客または顧客とのアポイントに向けてしっかり準備できるようサポートするサービスだ。業界と市場の情報を取得（あるいは購入）したら定期的に更新すること。企業と連絡先の情報は、業界と市場の情報以上にすばやく変化する。

会議準備サービス

同様に、会議準備サポートを提供する企業もある。これには必要な調査だけでなくスケジュール調整やその他の会議設備も含まれる。対面会議かウェブ会議かによって必要となるサービスは変わるが、調査、準備、設備、調整はどちらにも含まれる。

プレゼンテーションサポートサービス

プレゼンテーションサポートとは、特定会議向けのプレゼンテーションリソースの作成または編集を指す。多くの場合、テンプレートのカスタマイズを行うが、プレゼンテーション資料の作成や開発をサポートすることもある。

ＲＦＰサポートサービス

ＲＦＰ（提案依頼書）またはＲＦＩ（情報提供依頼書）が一般的な業界や企業では、適切な情報やメッセージを持っていて、最も効果的な方法で対応してきた経験のあるグループに回答を一元化するほうが、営業担当者にそれらの役目を分配するよりうまくいく場合が多い。購買委員会が営業のプロフェッショナルとエンゲージできるようになった段階で、プロセスを営業担当者に引き継げばいい（非常に価値の高い戦略的アカウントの場合、ＲＦＰチームが営業担当者を関与させ、依頼の詳細を探った上で顧客の意向を把握したりＲＦＰに影響を与えたりしようとすることもあるが、こうした取り組みの成功度は顧客企業のポリシーによって異なり、リスクが生じる可能性もある）。

ディールデスクサービス

「ディール（商談）デスク」とは価値の高い商談を追跡する際、商談獲得の確率を上げるためにレビューを行ったりフィードバックを提供したりするため集められた社内の専門家集団だ。固定のディールデスクもある。つまり事前に選抜された専門家によって構成され、定期的に集まって申請された商談をレビューするディールデスクだ（ただし必要に応じて他者を招待し、関与させる場合もある）。商談ベースで、特定の案件の状況や詳細に応じて招集されるディールデスクもある。場合によってはディールデスクのメンバーが、複雑なソリューションの構築や適切かつ効果的な提案書と同意の作成をサポートすることもある。

コーチングサービス

その名のとおりのサービス。ただし、前線の営業マネージャーにも、営業担当者や営業サポートスペシャリストにも提供される。

営業担当者のコーチングは前線の営業マネージャーの役割だと、私は固く信じている。ただし、マネージャーにもサポートが必要なことはあるし、営業担当者を直接コーチングするのが適切でない場合もある。

コーチングサービスの使用例をいくつか挙げる。

- 前線の営業マネージャー（ＦＬＳＭ）が、営業担当者とマネージャーを兼ねる必要があるスタートアップ企業（一般的に推奨しないが、こうした状況はスタートアップ企業では避けられない）。
- 急速に成長している企業で多くの営業担当者の採用とオンボーディングを実施しており、ＦＬＳＭが既存のチームの指揮や管理に手いっぱいで、新入社員のサポートができない場合。

・非常に小規模な組織、それほど複雑ではない企業、単純な営業プロセスを持つ企業、またはその他の状況下で、セールスイネーブルメントチームがセールスイネーブルメントに特化した時間をそれほど必要としておらず、組織全体の営業チームのパフォーマンス悪化を招くことなく現場コーチングをサポートできる場合（ただしそのような場合でも、セールスイネーブルメントチームは基本的にはＦＬＳＭとともに、あるいはＦＬＳＭを通じて営業チームに働きかけるべきだと私は考えている）。

・必要に応じて不定期で、ＦＬＳＭが特定の営業担当者に対するサポートを必要としていて、イネーブルメントリーダーが必要とされるサポートに関する特定の見識または深い知識を持っている場合。

・ＦＬＳＭがより効果的に営業担当者をコーチングする方法についてコーチングやサポートを受けている場合（こちらも必要に応じて不定期でサービスを提供する）。

こうした例外を除けば、セールスイネーブルメントチームのメンバーなどが直接かつ継続的に営業担当者のコーチングを実施するのは、一般的にはセールスイネーブルメントに対する完全に誤ったアプローチだといえる。ピアコーチング、企業のエグゼクティブによるコーチング、外部のコーチング、チーム間コーチング（マネージャーの交換）は、育成計画において検討可能でクリエイティブな選択肢だが、マネージャーと営業担当者とのコーチングの関係性の代替にはならない。

マネージャーのコーチングはまた別の話だ。前線の営業マネージャーのトレーニング、準備、イネーブルメント、強化にかける時間は、企業が行うことのできる最も賢い投資のひとつである。社内でセールスイネーブルメントリーダーやセールスイネーブルメントチームが実施するにしても、外部の専門家に依頼するにしても、マネージャーのコーチングは劇的なＲＯＩを実現できる。マネージャーが効率的に営業担当者のコーチングを行えるようにコーチングプログラムを導入していたり、定期的に新しい営業プロセス、営業メソッド、営業マネジメントオペレーティングシステムを導入したりしているならなおさらだ。

サービス依頼

では、どのようにこれらのサービスを依頼すればいいだろうか？　さまざまな例を見てきたが、よくあるのはサービス内容合意書（ＳＬＡ）経由でのサービス提供である。こうした合意書はサービス提供者（セールスイネーブルメントまたは前述の部門）とサービスユーザー（営業組織）の間のコミットメントだ。このサービスの特定の側面（サービス依頼のタイミングと方法、前提条件、提供されるべき情報、サービスのレベル、可用性、責任）が記録され、サービス提供者とサービスユーザー間で合意される。

関連コストや費用の増加に伴い、企業が必要に応じてサービス提供者をアウトソースしたり、オフショアリソースの使用を検討したりすることもある。

概要

営業サポートサービスの中には、営業をサポートするさまざまな部門から、セールスイネーブルメントチームを通じて提供される内容もある。プレゼンテーションや会議準備のサービス、アカウント調査、マネージャーのコーチング、特定分野の専門知識などだ。これらはスタートアップ企業や急速に成長している企業で必要となる場合がある。営業の成功を実現するために重要なのは、営業チームがどのような営業サポートを求めているかを理解し、観察することだ。

第16章

開始する方法

カーネギー・ホール【訳注：ニューヨークにあるコンサートホール。音楽の殿堂とされ、かつてはニューヨーク・フィルの本拠地だった】に行く方法を尋ねた際の古い冗談を聞いたことはあるだろうか？　あっと驚く答えは「一に練習、二に練習、三に練習」である。

GPSテクノロジーが存在しない世界で、その質問に真面目に答えるとしよう。まず、質問してきた友人がどこにいるのか把握したい。私はウェビナーでこのような図を使い、セールスイネーブルメントチームを立ち上げる方法、または進化させる方法について説明している。

セールスイネーブルメント憲章を作成する

私は連携が大好きだ。漕ぎ手がバラバラの方向に向かって進もうとしていれば、ボートはゆっくりとしか進まない。「セールスイネーブルメント憲章」という言葉を皆が使うようになる前、私はこれを単純に「我が部門向けの戦略的かつ戦術的計画」と呼んでいた。名称はどうであれ、方針は必要だ。憲章を作り上げるには、明確化し、優先順位を確立し、期待値を設定し、測定システムを導入し、計画を作成する。憲章ができれば連携が育まれ、目標が明確化され、皆が同じ方向に向かってボートを漕げるようになる。諍いがあったりレールを踏み外したりしても、憲章に立ち返れば、連携を取り戻すか、意思決定のために問題をエスカレーションする必要性を特定するか、憲章の更新の必要性を発見できる。

表16－1は、正しい方法で憲章を作成したい人向けの単純なフレームワークだ。

この例は「なぜ、何を、誰が、どのように」というシンプルな問いを使用して、そのフレームワーク内で作成した。好みに応じて、よりビジネスライクで具体的な用語を使用してもいい。目的、目標、インプット、タスク、計画、アウトプット、成果物、関係者、協力者、成果、指標、タイムラインなどだ。重要なのはフレームワークを作成し、自分にとっても協力者にとっても意味のある計画を完成させること。そして何より、その計画が企業文化において尊重され、受け入れられ、使用されることだ。

表16－1
シンプルな憲章のフレームワーク

なぜ	なぜセールスイネーブルメントチームを立ち上げるのか、または進化させるのか？
何を	・どのようにセールスイネーブルメントを定義するか？ ・開始する場合、どこから始めるか？　進化させる場合、何を変更または追加するか？ ・どの役割をサポートするか？（アカウントエグゼクティブ、アカウントマネージャー、セールスデベロップメント担当者、ビジネスデベロップメント担当者、セールスエンジニア、前線の営業マネージャー、チャネルパートナーなど） ・どのビルディングブロック（構成要素）をサポートするか？ ・どのような問題またはパフォーマンスの課題に対処するか？ ・どのような成果を実現するか？
誰が	・誰が実行するか？ ・セールスイネーブルメントチームはどこ、または誰の監督下に置くか？ ・誰（他の部門またはリーダー）と連携するか？
どのように	・この取り組みはどのように、どのレベルで実行されるか？ ・取り組みまたは望ましい結果はどのように優先順位付けされ、測定されるか？ ・社内のパートナーとどのように連携してコミュニケーションをとり、どのように結果を報告するか？

どのような計画構造を用いるにせよ、「なぜ」（別の言葉を使うなら「目的」や「目標」など）から始めよう。なぜセールスイネーブルメントの役割を立ち上げたり、進化させたりするのだろう？　目的は何だろうか？　リーダーシップチームや協力者と歩調を合わせれば、計画実行にあたり多くの摩擦を取り除ける。

現状と将来像のギャップ分析と影響分析を行う

私はデータに基づく意思決定とパフォーマンスコンサルティングが大好きだ。だからいつも診断から始めるし、周りにもそうするよう助言している。診断に関しては多くの呼び名が存在する。トレーニングニーズ分析、フロントエンド分析、ギャップ分析などだ（分析（Analyze）、設計（Design）、開発（Development）、導入（Implement）、評価（Evaluate）からなるADDIEモデルのAにあたる）。自社の営業チームのために発掘を行っていると考えよう。営業パフォーマンス改善サービスを販売しているようなものだ（つまりはセールスイネーブルメントの役割である）。

SPARXiQの「モダン・セールス・ファウンデーション」コースでは、COIN－OPを使用して私が作成した状況評価フレームワークを教えている（表16－2）。

このフレームワークは、営業の発掘作業中に状況評価を行うときや、パフォーマンス改善の可能性

表16－2
ＣＯＩＮ-ＯＰフレームワーク

現状はどのようなものか。 何もしなかった場合、 どのような影響があるか	・現状の課題、機会、影響（COI）を検討する
望ましい将来像 （望ましい成果と、その優先順位） はどのようなものか	・将来像におけるニーズ、成果、優先順位（NOP）を検討する
影響分析	・現状と将来像の差を定量化または金額に変換できるか
ギャップ分析	・現状と将来像の差を埋めるには何をすればいいか ・何を変える必要があるか
フォースフィールド分析	・望ましい将来像への進捗をサポートする要因や力にはどのようなものがあるか ・進捗を妨げたり遅らせたりする要因や力にはどのようなものがあるか

を評価するとき、非常に役に立つ。影響分析を使用すると変革のビジネスケースを作成できる。ギャップ分析では、営業チームの目標達成に向けてどのような営業リーダー向けのサポートに注力すればいいか特定できる。

ビルディングブロックとシステムを診断ツールとして使用する

また、COIN-OPを使用した状況評価フレームワークと既存の分析を重ね合わせることも可能だ。現状と将来像の分析を行う際、各ビルディングブロックまたは営業システムにおける現在の取り組みと、望ましい状況を評価するだけでいい。これによりビルディングブロックの優先順位をつけ、混乱を防げる（本書はビルディングブロックについて書かれていて、私はビルディングブロックが優れたフレームワークだと考えている。とはいえ12のビルディングブロック、システム、コミュニケーション、サポートサービスについて検討するのは、象を食べるのと同じくらい難しいと感じる人がいることも承知している）。

機能する測定と評価戦略を作成する

憲章と成果、影響分析とギャップ分析を使用すれば、進捗を評価するべき指標を明確に把握できるはずだ。営業組織ではすでに何らかの方法でこれらを測定しているだろうが、進捗を予測する先行指標について、またそれらを証明する遅行指標についても考えたい。これにより必要に応じて進む方向を調整、変更できるようになる。

測定だけでなく、進捗を報告する方法、タイミング、相手（特に連携している協力者や関係者など）についても検討しよう。そうすれば一緒に評価と調整を行い、成功した暁にはともに祝えるだろう。

概要

この短い章では、プロンプトや質問からなるフレームワークを使用して、別の章で紹介した分析ツールの一部を活用し、セールスイネーブルメントの役割の分析を開始する方法を紹介した。

第17章 営業オンボーディングに対するパフォーマンスベースの取り組み

営業オンボーディングはいつでも注目の話題だ。どうすればできるだけ迅速に営業の新入社員をオンボーディングし、この会社での仕事のやり方を理解させられるだろうか？　すべての営業リーダーが抱える問いである。遅かれ早かれ、すべてのセールスイネーブルメントのリーダーも同じ問いに直面することとなる。

私は１９９１年にとある企業のトレーニング部門に配属され、どちらかというとパッとしない営業オンボーディングプログラムを引き継いだことがきっかけで、セールスイネーブルメント（当時は営業トレーニングと呼ばれていた）の経験を積んだ。私が設計、導入したプログラムはその会社で語り継がれるほど有名になった。この取り組みそのものが私にとっては学びの場で、営業担当者兼マネージャーとしての成功体験や読書を通じて吸収したあらゆることを試してみた。最終的に、このプログラムを受講した新入社員は現場に出てから１２０日後（プログラム卒業の90日後）には、５年勤続した営業担当者で構成された対照群より高いパフォーマンスを叩き出すようになった。

　複数の企業で何度も同じ経験をしたし、それが本書に綴ったさまざまな事柄につながった。読者のあなたも同じ体験ができる。本書によって熟達と変革までの道のりが短縮されることを願っている。初めに、トレーニングが概して意図した結果を生まない理由と、オンボーディングプログラムにつきものの課題を理解しよう。

　なぜトレーニングによって意図した結果を達成できないのだろうか？

- 誤った人材採用と選考
- トレーニングがパフォーマンスの問題に対する適切な解決策ではない
- トレーニングが適切な解決策だが、トレーニングコンテンツを使用しても望ましい成果が出ない
- インストラクショナルデザインが説得力に欠け、学習者の体験が意図したものにならない
- 忘却曲線を防止するための知識の保持計画が存在しない
- フィードバックの繰り返し（ループ）を使用したスキル開発（練習）がほとんどない

・トレーニング受講者による学習した内容の適用をサポートする、目的のあるOJTプランが存在しない
・マネージャーが営業担当者のコーチングを行っておらず、スキル熟達を実現できていない
・有効性の評価や内容の変更につながる測定計画がない
・その役割における望ましい行動が企業のパフォーマンス管理施策に含まれていない
・連動するチェンジマネジメント計画が存在しない
営業のオンボーディングプログラムにおける一般的な課題には次のようなものがある。
・論理的な計画が存在しない
・プレオンボーディング【訳注：採用者が入社する前に企業文化などの会社に関する情報を提供したり、コミュニケーションをとったりすること】、オリエンテーション、営業オンボーディング（新入社員が営業で成果を収めるために必要となる、仕事に関連する知識とスキルのトレーニング）の違いが定義されていない
・取り組みにおいて十分な調整がなされておらず、オンボーディングが脱線した結果、プレオンボーディング、オリエンテーション、オンボーディングが一緒くたにされている
・あまりに多くのトレーニングコンテンツが早すぎるタイミングで、かつ矢継ぎ早に提供されている
・SMEから次々とプレゼンテーション資料が届く
・対面またはバーチャルのブートキャンプというイベントベースのトレーニングを行っているが、

フォローアップやマイルストーン達成に向けた継続的な追跡がなされていない

- チェックポイント、達成すべき事柄、評価、スキルの検証、認定が存在しない（営業担当者が何を学び、何をできるようになったかわからない）
- 維持、スキル育成、転移、コーチングの計画が存在しない
- 営業担当者がシミュレーションの営業プロセスワークフローを使用した、順序立てた学習をしていない（営業初日にどのように仕事に取り組むかわからない）
- 「とりあえずやってみろ！」という姿勢が当たり前になっている。つまり、経験値の高い人材を雇い、プロダクトトレーニングを施したら「ただちに営業を開始」して「何かを売る」よう求めている（緊急医療の現場における古いことわざを思い出す。「さっさと挨拶、さっさと治療、さっさと退院させるべし」というものだ）

これらのポイントを詳しく見てみよう。

適切な営業の採用を行う

適切な採用はオンボーディング成功の第一歩だ。詳しくはビルディングブロック（構成要素）4「営業の採用」（および「営業の採用システム」）を参照してほしい。

おかしなことをやめる（失敗を防ぐ）

トレーニングが失敗した理由や営業オンボーディングによくみられる課題の一覧を確認する。自社のプログラムとこれらの問題を正直に照らし合わせ、対処方法について計画を練る。新しい営業オンボーディングプログラムを作成しているところなら、こうした課題を念頭に作業を行い、課題を回避するつもりで取り組もう。やるべきではないこと、または避けるべきことを知っているというのは、やるべきことを知っているのと同じくらい有益だ。

成功を実現するためにいつもと違うことを始める

おかしなことをやめるのが第1段階だ。必須だが、それだけでは十分ではない。営業オンボーディングの成果を劇的に改善したいなら、いつもと違うことを始める必要もある。

- 現実世界での成果につながる重要なコンテンツを教えているかどうかを確認する
- 営業担当者のパフォーマンスを許容レベルまでしっかり引き上げるパフォーマンスのマイルストーンを設定する
- 知るべきコンテンツに優先順位を付け、マイルストーン別に教える

- コンテンツのチャンク（短いセクションに分けること）、シーケンス（順序付け）、レイヤー（積み重ね）を行い、しっかり吸収、維持できるようにする
- プロセスとワークフローを使用して、実際の仕事への取り組み方を営業担当者に教える（ランダムに配置されたコンテンツを教えてはならない。たとえそのコンテンツがチャンク、シーケンス、レイヤーになっていたとしても）
- 効率性と有効性の高い最新学習手法を最大化する
- システム思考でオンボーディングプログラムを支える

成績上位の営業担当者分析または効果実証済みのコンテンツを使用する

自社の成績上位の営業担当者を対象とした調査は、高い成果を実現するコンテンツにつながる。この方法を用いる人のために、成績上位の営業担当者分析（ＴＰＡ）について簡潔に説明する。

- トレーニングプロジェクトで行うようなタスク分析を実施する。営業プロセスの段階（目標、タスク、完了条件）について学んだことを思い出そう。タスクに集中する。
- 成績上位の営業担当者が行っていること、その理由、方法、どのようなタイミングで重要となるのか、いつどこで行っているのかを観察する。彼らが行う活動と使用する営業メソッドを観察する。

ワークフローを捉える。成績上位の営業担当者が営業プロセスを管理し、営業メソッドを組み込む方法を定義する。

・彼らの営業における行動の難易度、重要性、頻度を記録する。これによりインストラクショナルデザインが容易になる。

・可能であれば成績上位の営業担当者が行っていることを営業のコンピテンシーと結びつける（営業のコンピテンシーを記録している場合）か、成績上位の営業担当者の分析に基づきコンピテンシーを更新、検証する。

・実際のパフォーマンスのてこを特定する（成績上位の営業担当者による成果の80％を実現する20％の行動）。

・成績中位の営業担当者を同様に観察する。成績上位の営業担当者と中位の営業担当者を比較して差別化要因を見つける。

図17－1
成績上位の営業担当者

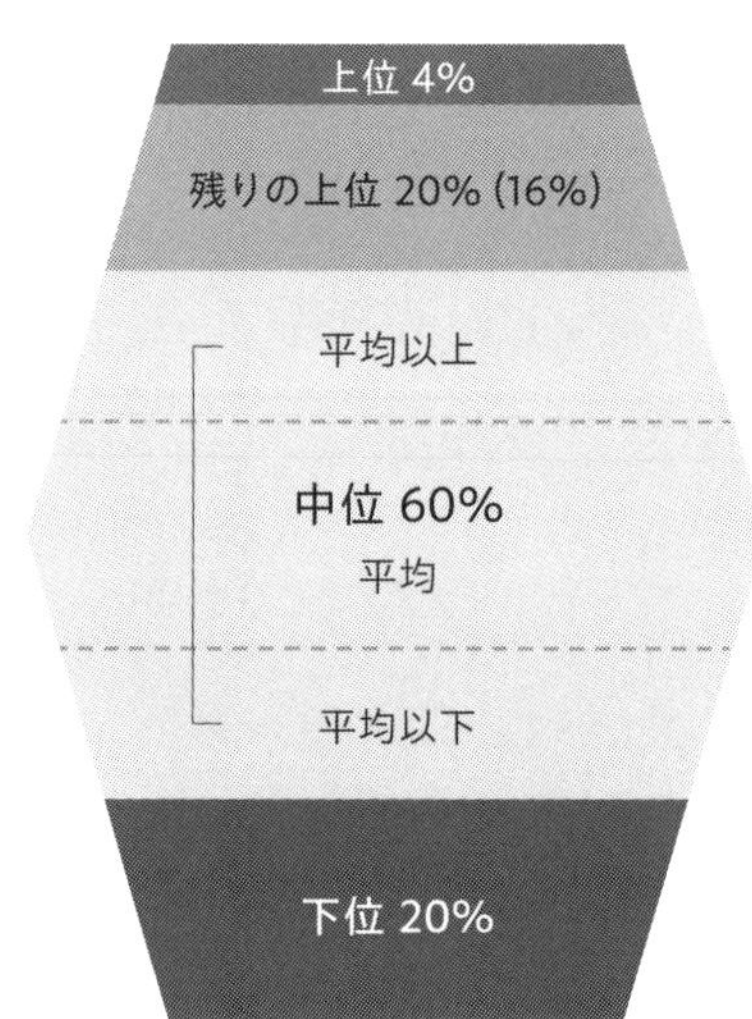

・分析に基づき、「継続・開始・停止」リストを作成する。成績上位の営業担当者の行動をもとに、他の営業担当者は何を継続し、何を開始し、何を停止するべきなのかを特定する。
・成績上位の営業担当者による再現可能なスキルに基づいてトレーニングコンテンツを作成する。差別化要因に重点を置く。

もちろん、成績上位の営業担当者分析を行い、成績上位と中位の営業担当者を区別化するスキルや行動を特定するだけの経験、時間、リソース、統計能力が自社になくとも、他の選択肢がある。業界、企業、顧客、ソリューションセットに合った、販売されている効果実証済みの営業メソッドを選ぶのだ。ただし、販売されている営業メソッドの多くは完全ではなく、顧客ライフサイクル全体をカバーしていないことを覚えておこう。購入した内容を補足するために追加で別のものを購入する必要が生じる場合もある。

パフォーマンスマイルストーンを設定する

新入社員向けの主要なパフォーマンスマイルストーンを特定して、彼らがマイルストーンを達成できると思われる時期を記録する。過去の新入社員に関するパフォーマンス準備期間のデータがあれば、それらのベンチマークを使用して作業を開始し、準備にかかる時間を短縮できる。マイルストーンは業界、企業、製品、サービス、営業サイクル、予算ノルマ構造によって異なる。自社にとって最も合理的で効果的なマイルストーンを特定しなければならない。

図17－2では、短い営業サイクルと月次の予算ノルマを採用している企業における3つのパフォーマンスマイルストーンの例を示している。このようなケースではマイルストーンはすべて遅行指標となる（先行指標と遅行指標についてはビルディングブロック9の章「営業分析と指標」（第10章）で説明している。そちらで事例を確認してほしい）。

営業サイクルが長い企業では先行指

図17－2
パフォーマンスのマイルストーン

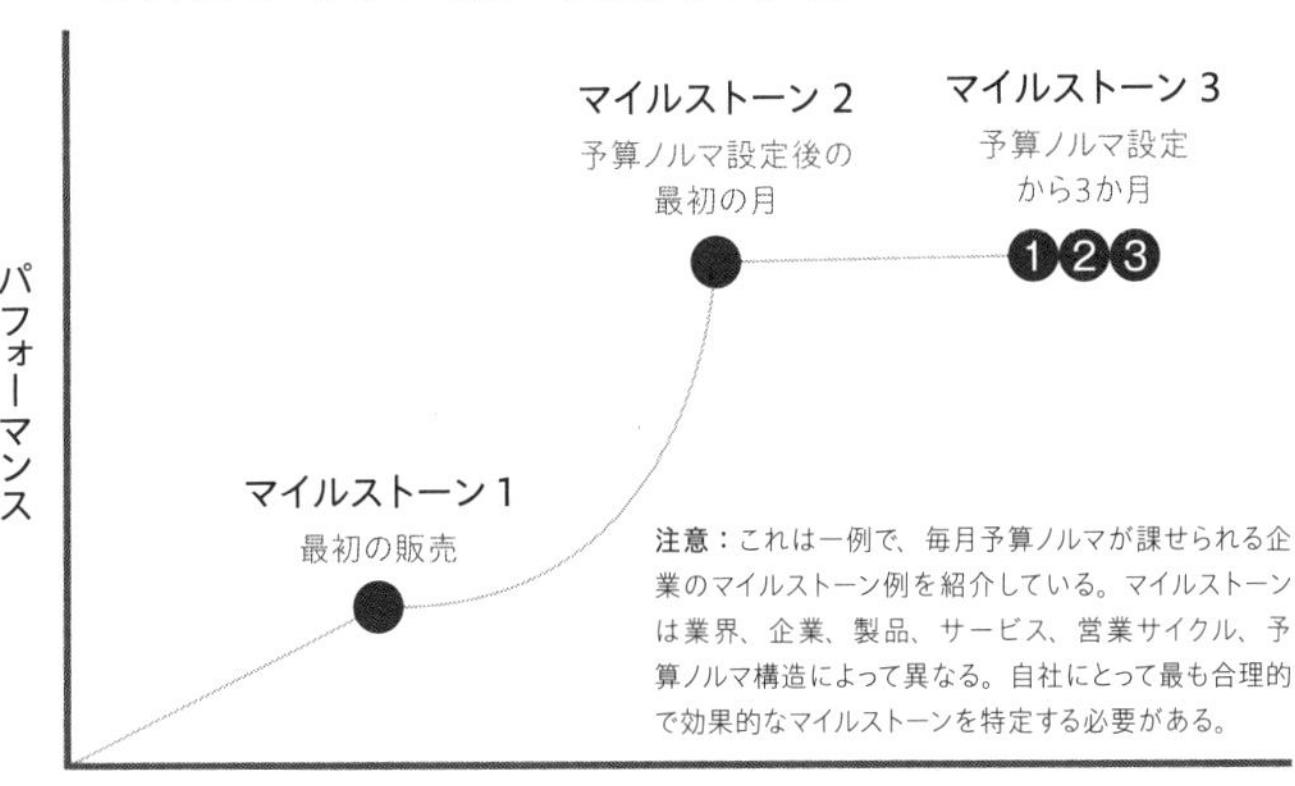

標と遅行指標の両方を確立して、最終的な販売に向けてマイルストーンの進捗を追跡する。平均営業サイクルが18か月の企業では最大9つのマイルストーンを設定したことがある（自社のセールスベロシティ指標を知っておくと有益だ。また、商談が自社の営業プロセスの段階を通過する平均的なタイミングの理解も重要である。この2つの情報をもとに、新入社員が成功に向かっているかどうかを判断できる）。

営業オンボーディングでは、学習パフォーマンス指標と営業パフォーマンス指標の使用を検討するといい。

これらのパフォーマンスマイルストーンを設定したら、ベンチマークして、これらに基づきすべてを構築する。オンボーディングプログラムの目標は、設定した期間内に営業担当者がマイルストーンを達成できるようになることだ。営業報酬の章（第12章）で説明したとおり、特定の期間内に主要なパフォーマンスマイルストーンを満たした場合、営業の新入社員とマネージャーの両方にインセンティブを提供するのも一考の価値がある。

マイルストーン別の知るべきコンテンツに注力する

優先順位に関して話し合い、営業担当者が各マイルストーンを達成するために本当に知っておくべき事柄を特定する必要がある。マイルストーンそのものの確立を別とすると、これがオンボーディングのランプアップ期間（営業が一人前になるまでにかかる時間）を劇的に短縮するために実行できる最も重要なステップのひとつだ。

読むよりやってみるほうが難しいし、思った以上に困難なはずだ。人々、特に特定分野の専門家は自身のコンテンツまたは専門領域に情熱を注いでいて、営業担当者が知るべきだと考えていることをいくつも提案してくる。以前、セールスオペレーションのリーダーとかなり熱い議論を交わしたことがある。そのリーダーは、新しい営業担当者が入社1か月目にデジタル電子e署名ソフトウェアの使用方法を学ぶべきだと主張していた。オンボーディング中にセールスオペレーションチームの紹介資料をプレゼンし、セールスオペレーション部門が営業チームをサポートするさまざまな方法を取り上げたというのに、その上で営業担当者はソフトウェアの使用方法も学ぶ必要があると考えていたのだ。この企業の平均営業サイクルは9か月だったし、どれほどクロージングが早かった案件でも6か月近くかかったというのに。問題点は明白だ。電子e署名ソフトウェアはどう考えても、この時点で知るべきコンテンツではなかった。しかも、ソフトウェアに関する説明は営業担当者がもらうジョブエイドにしっかり記載されていた。当時、リアルタイムでプログラムを使用する際、営業担当者に対するガイダンスを表示するWalkMe【訳注：デジタルアダプションプラットフォーム】を導入したところでもあった。それにもかかわらず、そんな議論になった。

そのセールスオペレーションリーダーの戦略は、知るべきことのステータスに基づく、タイミングに沿ったコンテンツ提供またはマイルストーンベースの戦略の正反対だった。コンテンツがそのタイミングで必要とされているか否かにかかわらず、すべてを最初のマイルストーンに詰め込んでしまうと、ランプアップ期間は不必要に長くなる。議論には、確たる「知るべきこと」フィルターを適用できる優秀な教育設計デザイナー【訳注：効果的に学習できるようなデザインができる専門家】、インストラクショナルデザイナーにも参加してもらうといい。このトピックに関するウェビナーやカンファレンスのプレゼンテーションでは、喧嘩になる可能性があるから心構えをしておくようにと話すことがよくある。大げさかもしれないが、前述のとおり、激しい議論になることは確実だ。マイルストーンをガイド役にして乗り切ろう。

営業オンボーディングプログラムを作成したら、あらゆる事柄を測定し、報告し、データを分析し、学んだ内容を使用してプログラムを調整し、継続的に改善したいと思うはずだ。

教えるコンテンツタイプまたはトレーニングのトピックはさまざまで企業によって異なるが、いい起点となるものを紹介する。自社の営業担当者にどれが当てはまるか見極めてほしい。

- **業界**：領域知識、ビジネスの洞察、知見
- **市場**：問題、リスク、機会、関係
- **顧客**：理想の顧客特性、顧客のペルソナ、バイヤージャーニー

- **テリトリーとアカウント**：アカウント、連絡先、現状、目標
- **ソリューション**：製品、サービス、機能、差別化要因、価値、結果
- **営業プロセス**：購買プロセスとの連携した段階、目標、タスク、完了条件
- **営業メソッド手法**：営業のコンピテンシー、リード生成に関するトレーニングと成績上位の営業担当者の実践内容、商談管理、アカウントマネジメント
- **ポリシーと手順**：社内の部門間連携と引き継ぎ、標準作業手順書（ＳＯＰ）、フォーキャスティングの期待値とプロセス
- **ツール**：ＣＲＭ、セールスイネーブルメントツール、分析、組織、連携、コンテンツ、パフォーマンスサポートパフォーマンス支援、その他のシステム

プロダクトトレーニングについて一言

多くの企業ではトレーニングのかなりの時間を製品やサービスの詳細説明に費やした結果、製品やサービスの販売方法を教える時間が不足している。過剰なプロダクトトレーニングはやめて、他のトピックと同程度の時間に抑えよう。検討すべき事柄をいくつか挙げる。

- 営業担当者は各レベルに到達し、各マイルストーンを達成するために何を知り、何を行う必要があ

るか？

- 右の内容のチャンク、シーケンス、レイヤーを行い、適切に教える。非常に複雑な製品やサービスの場合は、営業担当者のサポート支援方法を計画する（セールスエンジニア、バディシステム、メンター、マネージャー、ディールデスク、パフォーマンスサポートパフォーマンス支援、優れたコンテンツの使用など）。
- FAB（特徴、優位性、顧客のメリット）トレーニングはさっさと終わらせ、シナリオトレーニングを開始する。シナリオトレーニングを使用すると、現実やシミュレーションの顧客・買い手の状況を記録し、営業担当者がソリューションを使用してこれらの現実的な問題を解決する方法を特定できる。
- 顧客中心型のメッセージマトリクスの使用を検討する（表17－1）。

カリキュラム設計戦略を立てる：チャンク、シーケンス、レイヤー

「チャンク、シーケンス、レイヤー」は、大量の情報を吸収、保持できるように整理するための有名なインストラクショナルデザイン戦略だ。オンボーディングプログラムの効果の最大化を助けてくれる。

表17－1
顧客中心型のメッセージマトリクス

COIN-OP

ペルソナ	課題／機会／影響 ニーズ※1／成果／優先順位	指標と測定方法	POSE※2 ↑COIN-OPに基づく 興味関心を醸成する価値のメッセージ	↑COIN-OPに基づく ターゲット設定済みの発掘アプローチ	↑COIN-OPに基づく デモまたはプレゼンテーション方法	↑COIN-OPに対応する ソリューションの構築方法	一般的な懸念と解決方法	競合他社と差別化方法	望ましい結果と価値、 および両方を実現する方法
役割 1									
役割 2									
役割 3									
その他									

※1 ニーズ：ビジネスニーズ、経験に基づくニーズ、意欲的ニーズ、個人的ニーズ
※2 POSE：問題（Problem）、結果（Outcome）、ソリューション（Solution）、調査（Explore）

- 似たトピックを短いセクションにまとめる（チャンク）
- チャンクごとに教えて、強化や評価を通じて知識の保持率を高める
- 学習者が情報を吸収しやすいように、チャンクを論理的な順序（シーケンス）に並べ替える
- 追加の関連するチャンク（または新しいチャンク）をすでに学習済みの知識とスキルに積み重ねる（レイヤー）

インストラクショナルデザインに関して不思議でならない点がある。何かについて知っている人は誰でも、そのトピックのトレーニングを設計したり、トピックを教えたりする資格があると信じ込んでいるのだ。インストラクショナルデザインの専門家でなければ、パフォーマンス志向で根拠に基づく本物のインストラクショナルデザイナーを採用するか、専門家（または契約社員やフリーランサー）の力を借りることをおすすめする。

営業プロセスとワークフローについて教える

これはチャンク、シーケンス、レイヤーと非常にうまく同期する。まずリード生成から戦略的アカウントマネジメントまで顧客ライフサイクルをマッピングして、ライフサイクルのどこでトレーニング受講者が顧客とやりとりするかを決定する。

営業プロセスと営業メソッド手法の違いをもう一度記載する。

・**営業プロセス**は、意思決定に向けて商談が通過する段階を指す。

・**営業メソッド手法**は、各段階で営業担当者が行うことと、販売方法である。

その次にトレーニングを設計し、ビジネスプロセスとワークフローを順序立てて教える。トレーニング後には、営業担当者はその順序に沿って行動できるようになっているはずだ。

・トレーニングで、営業プロセス段階またはライフサイクルに沿った現実世界の活動アクティビティのシミュレーションを行う。

・各段階でベストプラクティスのメソッド手法を教える。

・できるだけ多くのロールプレイとシミュレーションを使用する（反転学習）。その際、学習と練習のループ、フィードバック、コーチングを用いる。

最新の学習手法を最大化する

人間の脳は非常にゆっくりと発達するので、学習方法も急速には変わらない。ただしテクノロジーは急速に進化する。認知学習やエビデンスに基づく学習の調査体系がまとまるにつれ、効果的なトレーニングの設計方法が判明しつつある。有効性実証済みの手法やツールが提供されていて、それらを賢く使えば仕事が容易になり、より効果の高いトレーニングを実施できる。

評価とカスタマイズされた学習パス

コンピテンシーまたは心理測定テストを使用すると、営業チームの現在の営業コンピテンシーレベルを調査できる。そうすれば似たような育成ニーズを持つ営業担当者向けにカスタマイズされた学習パスを組織的に作成できるようになるし、マネージャーと営業担当者は個別コーチングや育成計画において連携できる。

この戦略はオンボーディングに適用してもうまくいく。営業の採用の章（第5章）でおすすめしたコンピテンシーベースの採用評価をすでに行っている場合は、特にやりやすい。データが揃っているからだ。

別の戦略は、オンボーディングカリキュラムの各コース用の詳細なテストを作成することだ。テストがうまく設計されていれば（専門家のサポート支援を得よう。有効なテストの設計は科学である）、それを使用して営業担当者は学んだ内容を実際に試せる。この戦略は一元的な教室または対面のブートキャンプでプログラムを教えている場合、導入しづらい。反対に、現在あまねく行われている自己主導型学習、組み合わせ型の学習カリキュラム、バーチャルトレーニング仮想トレーニングでは、個人のニーズに合わせて容易に学習パスをカスタマイズできる。

モバイル戦略

これは学習者のアクセスに関する戦略だ。オンライン学習、組み合わせ型のカリキュラム、その他のバーチャルトレーニング仮想トレーニング戦略を使用しているなら、いつでもどこでも、どのデバイスからもアクセス可能な学習エクスペリエンスを実現できる。オンボーディング、または少なくとも営業の新入社員が学習以外の責任を負っていない初期の段階では、大型スクリーン用のコンテンツを作成し、それを従業員にすすめても問題ない。ただしその場合でも、そして当然ながらそれ以降の段階においても、モバイル向けにコンテンツを構築すると、特に強化とサポート支援の段階でより多くの人にコンテンツを学習してもらえる。

非同期型（自己主導型）のトレーニング

非同期型または自己主導型のトレーニングは、うまく設計されている場合、優れた事前作業、第一のソフトウェア、強化および学習サポートとなる。このようなeラーニングの使用（ひとつあるいは複数の学習目標のある短いコースのシリーズとして）は、自己主導型トレーニングでのチャンク、シーケンス、レイヤーの実施や、他の学習メディアとの組み合わせによって学習疲れを削減する際に参照できる優れた戦略である。また、学習者はトピックを実際に試してみたり、次のコースやカリキュラムに飛んだりもできる。その場合マイクロラーニングや小分けにしたコースを使用すれば「自分のためだけの特別な」トレーニングを作り上げることが可能だ。

同期型の講師主導トレーニング

同期型の講師主導トレーニングはバーチャル（ｖＩＬＴ仮想（ｖＩＬＴ）または教室ベース（ＩＬＴ）で提供される。どちらの場合でも、やりとり、議論、ブレインストーミング、ハンズオンラーニング【訳注：より実践的な学習方法】、アプリケーションが必要であれば、このトレーニングが有用だ。また、ハンズオンセッション、ミニテスト、活動、練習、ロールプレイ、フィードバックループ、コーチング、反復（フィードバック後にロールプレイを繰り返す）、議論を含むＩＬＴまたはｖＩＬＴの講座の準備として受講者に事前作業を依頼し、反転授業を行ってもいい。バーチャルトレーニング環境とバーチャルブレイクアウトルームの質が向上しているため、特定の環境向けに適切な設計を行い、効果的にクラスを進行できるよう講師のトレーニングを実施すれば、物理的な教室でできることはほとんど何でもバーチャルクラスでできるようになった。教室でやるように学習者にお菓子を提供したり、ストレス発散用のツールを与えたりすることはできないが、学習の質は今までと同じかそれ以上によくなる。

間隔反復、想起学習、フィードバックループを使用する

忘却曲線の存在は知られているのだから、対処すべきではないか？　学習強化プラットフォームを使用すれば簡単だが、テクノロジーをそれほど使わない手法もある。間隔反復（コンテンツの再紹介）と想起学習、質問やミニテストの使用（学習者から記憶応答を引き出すため）はどちらも非常に効果的な強化手法である。想像力を駆使しよう。学習と適用の間隔があく場合は、目的を持って強化施策を考え

図17－3
忘却曲線

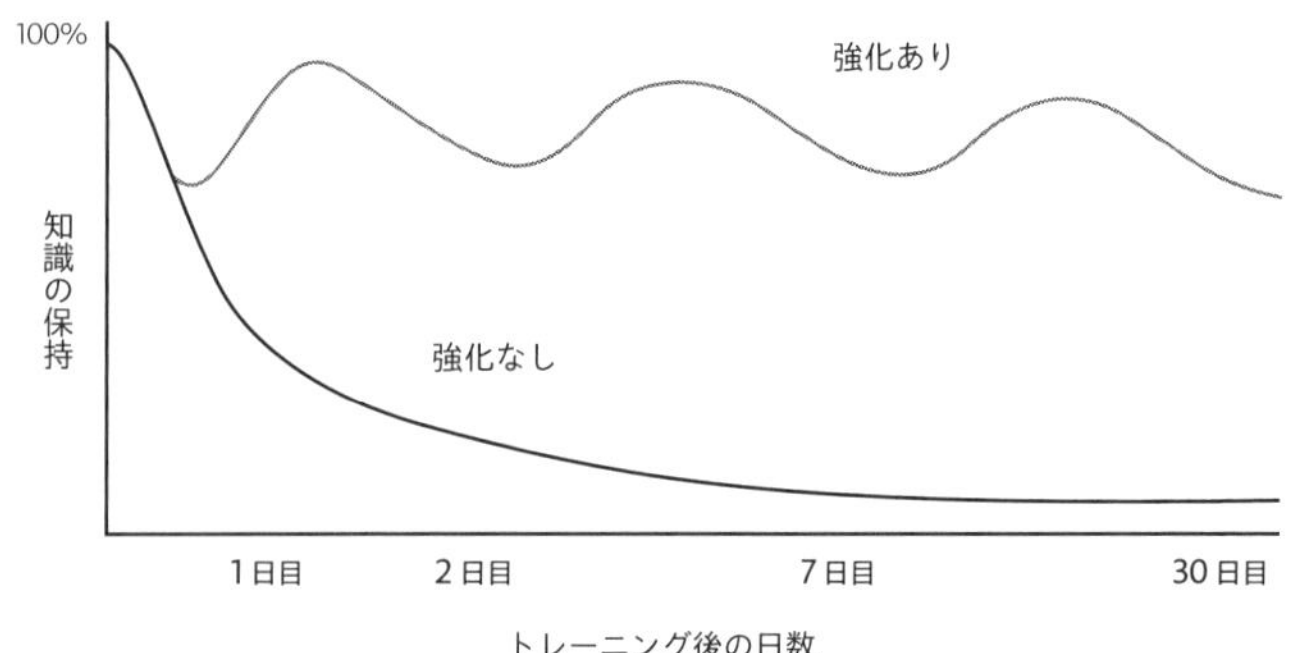

ることが特に重要だ。

練習にフィードバックループとコーチングを取り入れる

同期型の講師主導トレーニングの説明でも、これについて書いた。私が設計したプログラムのうち、最も効果が高く最高の結果につながったのは、多くの練習を取り入れた、学習者がプロセスワークフローの中で（実際の仕事で使用することになる）スキルを使用できるプログラムだった。だがそれだけではない。こうした効果の高いプログラムにはフィードバックループとコーチングも組み込まれていた。

一般的な営業のロールプレイを思い浮かべてほしい。三者のロールプレイには営業の役、顧客の役、観察者の役がある。通常、3人とも同じトレーニングプログラムの受講者だ。ロールプレイが終わるとフィードバックセッションが設けられる（通常は自分と同じような学習者からフィードバックを受ける）。その後は？　役を交代して再度ロールプレイを行う。だが、ロールプレイの価値をさらに高めるためにできることはもっとある。

- フィードバックを受けた人がロールプレイをやり直し、フィードバックの内容を実践して、さらに多くのフィードバックを受けられるよう時間を調整する。

・以前プログラムを受講したことがあり、コーチングの方法も知っている人に観察者の役をしてもらい、優れたフィードバックの提供を依頼する。

・組織のリーダーに出席してもらい、顧客の役を依頼する。学習者が顧客の役をするときに比べて、一層現実的な顧客像ができあがる。

ロールプレイに関する助言を求めている人は、mikekunkle.com/blog のブログ投稿（英語のみ）を参照してほしい。

・Sales Leaders: It's Time to Get Serious About Purposeful Practice & Skill Mastery（営業リーダーに向けて：目的のある練習とスキル熟達について真剣に検討するときが来た）

・Maximizing the Power of Role Play and Sales Simulations（ロールプレイと営業シミュレーションの力を最大化する）

社会的学習とインフォーマル学習を組織する

最近では社会的学習【訳注：他者の行動を観察、模倣して学習すること】やインフォーマル（非公式）学習【訳注：授業や研修などのフォーマル（公式）な学習とは異なり、日常生活の中で（雑談などをとおして）自然に生まれる学びのこと】についてよく耳にするようになった。これは人材育成における「70－20－10の法則（「ロミンガーの法則」とも呼ばれる。人材の成長に役立つのは70％が経験、20％が薫陶、10％が研修であるとされる）」の「20」である。「70－20－10」の内訳はこちらだ。

- 70％は実際の仕事体験から得る知識（経験学習）
- 20％は他者（仲間、同僚、マネージャーなど）との社会的またはインフォーマルなやりとりを通じて得る知識（インフォーマル学習または社会的学習）
- 10％はフォーマル（公式）なトレーニングイベントを通じて得る知識（フォーマル学習）

インフォーマル学習に価値があることは認める。個人の育成計画において素晴らしい学びの場となる。ただし、体系立てられ、組織化された学習と、組織レベルのオンボーディングや測定可能なパフォーマンス改善におけるパフォーマンスマイルストーンの進捗を目標とする場合、社会的学習とインフォーマル学習が望ましい成果の達成に適したアプローチだとは思わない。

というわけで、図17－4を見てほしい。営業オンボーディングの取り

図17－4
インフォーマル学習を組み込む

組みをサポートする方法がいくつか示されている。

- バディシステムを活用する（バディ向けのガイドラインとトレーニングが必要）
- 新入社員と成績上位の営業担当者、ＳＭＥ、エグゼクティブ、セールスイネーブラー間の情報共有を組織化する
- ベストプラクティスのコンテンツを抽出し、調節する
- 現在学習している内容に関連する自身の経験について振り返り、考えを仲間と共有するよう新入社員に伝える
- 構造化されたＯＪＴを行い、計画されたとおりの成果を生む、より優れた経験学習を促進する
- 学習ハドル【訳注：10～30分程度の短い会議】、案件獲得の通知、うまくいったことやうまくいかなかったことに関する営業の逸話、営業担当者がその経験から学んだ内容、非常にうまく進んだ顧客とのアポイントの録画または録音（顧客の許可を得た上で）を共有して、日々の仕事に社会的学習とインフォーマル学習を組み込む

ひとつだけ注意してほしい。「盲人が盲人の道案内をする」ようなことにならないように。以前働いていた会社で、営業担当者がお互いからアドバイスを得られるようにディスカッショングループを立ち上げたことがあった。私がその企業に入社する少し前に始まった取り組みだ。丸一日グループを観察した私は、司会が必要だと気付いた。参加していたのは、最もサポートを必要とする営業担当者

ばかりだったのだ。誰もが他の参加者を助けようとしていたが、アドバイスの多くはあまり役にたたないものだった。さらに悪いことに、非常に規制の厳しい業界だったため、コンプライアンスに反したアドバイスもあった（だから司会役を務める必要があると感じたのだった）。

レディネス検証とフルスケール認定

私はレディネス検証と、フルスケール認定を提唱している。ただし、この2つはよく混同されるし、フルスケール検定に至ってはほとんど実施されていない。

レディネス検証があればおそらく事足りるだろう。これは営業オンボーディングプログラムの卒業生に、会社を代表して顧客をサポートする準備ができているかどうか（レディネス）を評価するために作成された組織的な検証である。筆記試験、提出された録音や録画、その場でのプレゼンテーション、口頭のレビューパネル、さまざまなロールプレイとシミュレーション（オンラインと実演）、営業プロセスにおける重要な瞬間（プロスペクティング（案件発掘）、ディスカバリー（発見）、デモとプレゼンテーション）を収めたコール録音または録画のレビューが含まれる。学習者を鼓舞し、レディネスを検証する非常に厳密なプロセスとなるはずだ。

本物の認定プログラムを作成したい人は、ジュディス・ヘイルの著書『*Performance-Based Certifi-*

cation: How to Design a Valid, Defensible, Cost-Effective Program（パフォーマンスベースの認定：コスト効率性が高く正当性のある有効なプログラムの設計方法）（未邦訳）』にしっかり目を通すこと。やっぱりフルスケール認定が必要だと思うなら、この著者から学ぶのが一番である。

規律を持って実行する（システムアプローチを使用する）

セールスイネーブルメントのビルディングブロックを支えているシステムは営業オンボーディングプログラムをもサポートするというのは当然のことだ。ここで必要となるアドバイスは、この本の他の箇所にすでに記載されている。営業の採用システム、セールスレディネスシステム、営業トレーニングシステム、営業マネジメントシステムの章（第6章と第13章）を参照してほしい。

概要

効果の高い営業オンボーディングプログラムの作成はセールスイネーブルメントの取り組みの中で最も難しいと同時に、最もやりがいのある仕事だ。残念ながら組織のリーダーには、これとプロダクトの更新に関する通知だけがセールスイネーブルメントの役割だと考えている人もいる。それではイネーブラーはオンボーディングとプロダクトの隅に追いやられ、営業チームに大きく貢献するパフォーマンスコンサルティングの取り組みを行うことができない。だが優れた成果を実現するオンボーディングプログラムを設計、開発すれば、他の扉もおのずと開くはずだ。どうせやるなら、最高の仕事をしよう。

未来に向かって
セールスパフォーマンスコンサルティングへの進化

私はパフォーマンスコンサルティングを長きにわたって実践してきた愛好者だ。ロバート・F・メーガーの『*The New Mager Six-Pack*（新メーガー・シックスパック）（未邦訳）』と、トーマス・F・ギルバートの『*Human Competence: Engineering Worthy Performance*（人間のコンピテンス：価値あるパフォーマンスを創造する）（未邦訳）』を初めて読んだのは、1990年頃のことである。それ以来、パフォーマンス改善に関するあらゆる書籍を読んできた。ATD【訳注：Association for Talent Development、アソシエーション・フォー・タレント・デベロップメント。人材開発、組織開発をサポートするNPO】（当時はASTD）とISPI【訳注：International Society for Performance Improvement、ホワイトカラー生産性向上研究団体】（当時はＮＳＰＩ）にも参加した。『*Handbook of Human Performance Technology*（ヒューマンパフォーマンス科学ハンドブック）（未邦訳）』にはすっかり夢中になった。いつだったかは覚えていないが、ＩＳＰＩの最初の「トレーニングからパフォーマンスへの移行」ワークショップに参加したときはとてもワクワクしたものだ。

証拠に基づくパフォーマンス志向のインフルエンサーの一覧をここに示す。私を魅了し、多くを教えてくれた人々である。

偉大な初期のインフルエンサー

ロバート・Ｆ・メーガー
トーマス・Ｆ・ギルバート
ゲリー・Ａ・ラムラー
アラン・Ｐ・ブレーシュ
ドナルド・Ｌ・カークパトリック
ドナルド（ドン）・クラーク（ウェブサイト「Big Dog & Little Dog's Performance Juxtaposition」の運営者）
ジョー・ハーレス
リチャード・Ａ・スワンソン

その他の人々（アルファベット順）

ロジャー・アディソン
デール・ブレソワー
ロジャー・シュバリエ
ディック・クラーク
ルース・コルヴィン・クラーク
ポール・エリオット
デイナ・ゲイン・ロビンソン
ロジャー・カウフマン
フレッド・ニコルス
ジャック・J・フィリップス
クラーク・クイン
ジェームズ・ロビンソン
マーク・ローゼンバーグ
アリソン・ロゼット
パティ・シャンク

ハロルド・D・ストロヴィッチ
ウィル・タルハイマー
ガイ・W・ウォレス

ヒューマンパフォーマンステクノロジーとパフォーマンスコンサルティングについて学んだ後、私のキャリアは180度変わった。診断、効果的なソリューションの構築、パフォーマンス改善につながる方法での導入、何を行ったか証明するための測定（または調整、変更すべきタイミングの学習）に注力するようになった。営業という職種では、これが主要な差別化要因になった。

パフォーマンスコンサルティングが、私が想像していたほど注目を集めなかったことについては今でも不思議に感じているし、がっかりもしている。ビジネスリーダーは常に結果を改善したがっているようにみえる。だが、実際に変化を起こすために必要となる手法に対する耐性がないので、驚かされることがよくある。これは間違いなく解決困難な状況だ。

とはいえ、私はセールスイネーブルメントの動きやその成長に勇気づけられている。特に本書で説明したセールスイネーブルメント、成熟したセールスイネーブルメントチームがある洗練された営業組織で行われているセールスイネーブルメントに対する注目には、大きな可能性がある。そう、この職種は進化し続けているのだ。私たちは「セールスイネーブルメント」にとどまるのだろうか、それとも収益イネーブルメント、バイヤーイネーブルメント、コマーシャルイネーブルメント、パフォーマンスイネーブルメントに進化するだろうか？　私の手元にあるマジック8ボールには「答えははっきりしていません」と書いてあるが、ビジネスではただセールスイネーブルメントの基礎を固めるだけでなく、営業の成果改善をますます重視するようになりつつある。だから私は、名称はどうであれ、セールスイネーブルメントはセールスパフォーマンスコンサルティングに進化すると信じている。

パフォーマンスコンサルティングとは

パフォーマンスコンサルティングとは、職場でのパフォーマンスの改善とビジネス目標の達成を目指して体系立てられた包括的アプローチだ。次のような特徴がある。

・分析、診断、根本原因分析に基づく
・ヒューマンパフォーマンスに影響を与える幅広い組織的要因と個人的要因を検討する
・特定されたパフォーマンス課題を解決するソリューションの選択、設計、開発につながる
・選択された介入と目的のあるチェンジマネジメントにおいて、効果実証済みの手順を使用してソリューションを導入する。これには目標達成を実現するコミュニケーション、フォロー、測定、分析、評価、調整が含まれる

ＡＴＤでは「ATD Master Performance ConsultantTM（ＡＴＤマスター・パフォーマンス・コンサルタント）」プログラムなど、非常に充実したヒューマンパフォーマンス改善モデルやさまざまなトレーニングプログラムを提供している。

ＨＰＴ（ヒューマンパフォーマンステクノロジー）、ＨＰＩ（ヒューマンパフォーマンス改善）、パフォーマンスコンサルティング。名前はさまざまだが、どのモデルも次のような一般的なアプローチに沿って構築されている。

- 現状と将来像に関するギャップ分析を用いた診断フェーズ
- 現場と理想のパフォーマンスの差における本当の原因に対処するための根本原因分析
- パフォーマンスに影響を与える環境的または文化的要因、あるいはその他の要因の検討
- ソリューションが根本原因に対処していて、最も効果の高いソリューションが選択、設計されていることを踏まえた問題解決の設計フェーズ
- ソリューション開発
- ソリューション導入とチェンジマネジメント
- 必要に合わせて調整し、結果を評価する進捗測定の方法

このパフォーマンス志向の包括的アプローチには、組織開発、チェンジマネジメント、シックスシグマ、リーンシグマ、トータル・クオリティ・マネジメント【訳注：総合的品質管理とも呼ばれる。企業

の経営層が定めた経営戦略を顧客満足度目標まで落とし込み、全社的に展開すること】、産業・組織心理学など、他の分野や実践から学んだ内容が含まれる。

次の表は、セールスイネーブルメントとセールスパフォーマンスコンサルティングの高次元の違いを示している。

どちらを行いたいだろうか？　流れとしては間違いなく左から右に向かっている。驚くことに、前述のとおりすべてのビジネスリーダーがセールスイネーブルメント部門にパフォーマンスコンサルティングを行

	セールス イネーブルメント	パフォーマンス コンサルティング
フォーカス	施策とプロジェクトをリードする	パフォーマンスの問題に対処する
アウトプット	活動にはメッセージ、トレーニング、ツールが含まれる	結果にはパフォーマンスの改善が含まれる
測定	施策とプロジェクトの進捗	パフォーマンス変革とROI
評価	営業チームがどれほどアウトプットを使用するか	営業チームがどれほど改善されたか
責任	営業チームに何かを提供する	より優れた営業生産性を実現する
エグゼクティブの考え	コストセンター	投資

えるよう進化してほしいと願ったり、考えたりしているわけではない。その理由としては、過去にパフォーマンスコンサルティングのようなものを目にしたことがないから、というのがよくある。たとえば私は、トレーニングを支持しているがセールスイネーブラーがＲＯＩ評価を行うかどうかはどうでもいいと考えているエグゼクティブと仕事をしてきた経験がある。ただし、パフォーマンスコンサルティングについて検討したいと考えているエグゼクティブは存在するし、必要な理由を真に理解できるエグゼクティブもいる。セールスイネーブラーが、ビジネスの成果を達成できればなおさらだ。セールスイネーブルメント職種が今後も成果を達成し続けるためには、パフォーマンスコンサルティングへの進化が必要となると私は信じている。

はっきり言うと、私はセールスイネーブルメントチームが独自であっても、部門を超えた連携をしても、成果を出せるとは考えていない。それに、セールスイネーブルメントチームが営業チームのパフォーマンスに対する責任を負うわけではない。できる限りの努力をしたとしても、営業リーダー（およびその他のエグゼクティブ）のトップダウンのサポート、前線の営業マネージャーによる同意やコーチング、営業チームによる提案内容の適用がなければ、変化をもたらすことはできない。これはチームスポーツなのだ。ただしセールスイネーブルメントには影響力がある。その影響力、パフォーマンスコンサルティングの実施、本書で説明したビルディングブロックとシステムを通じて、企業のパフォーマンスに強大な影響を与えるチームの一員となれるのだ（おそらくオーケストラの指揮者にもなれる)。何十年もの時間をセールスイネーブルメントに捧げてきた今も、それが一番私をワクワクさせる。

今までのキャリアで、イネーブルメントからパフォーマンスコンサルティングへの進化に関して学んだ主要な教えを第1のアドバイスとして共有しよう。「エグゼクティブチームとシニア営業リーダーとの会話を、彼らの世界観に合わせてカスタマイズすること」である。本章(および本書)に書いた事柄を共有できるマネージャーと働いているとき、彼らは私と同じくらいワクワクしてくれた。だが、私がビジネスケースについて話すと、あきれた顔をしたり鼻を鳴らしたりするマネージャーもいた。そのようなリーダーと仕事をするときは、彼らが望む成果に注力することだ。その成果を達成するために辿るべき道のりではなく。もちろん、計画に対する承諾を得る必要はあるが、高次元の計画を用意すればいい。

第2のアドバイスは、仕事の内容を注意深く選ぶこと。自分が最も得意で、影響を与えることのできる分野を選ぶこと。パフォーマンスコンサルティング寄りの仕事のほうが楽しいことはずっと多いと伝えておこう。

セールスイネーブルメントのビルディングブロックとシステム思考に関する旅を続けるにあたり、本章を念頭に置いてほしい。また、個人の学習プランを作成して、次の事柄を理解し、自身の取り組みに組み込んでほしい。

- ヒューマンパフォーマンス科学
- ヒューマンパフォーマンス改善
- パフォーマンスコンサルティング
- 組織開発
- 組織行動
- 組織の有効性
- リーンシグマとシックスシグマ
- アジャイル手法
- チェンジマネジメント

まだ確立されていない道ではあるが、あらゆる変化を生む可能性がある。

森の中で道が二つに分かれていた。それで私は――
私は歩む人の少ない道を選んだ。
それですべてが変わった。
――ロバート・フロスト

【訳注：アメリカの詩人。引用は詩「The Road Not Taken（選ばなかった道）」の一節】

参考文献と推奨文献

システム思考

デレク・カブレラ、ローラ・カブレラ、２０１８年、『*Systems Thinking Made Simple: New Hope for Solving Wicked Problems*（簡単なシステム思考：難しい問題を解決する新たな方法）（未邦訳）』、プレクティカ・パブリッシング

アルバート・ラザフォード、「The Systems Thinker Series（システムシンカー）（未邦訳）」シリーズ https://www.amazon.co.jp/dp/B0839FXPWT?binding=kindle_edition&searchxofy=true&ref_=dbs_s_aps_series_rwt_tkin&qid=1692254447&sr=8-3

顧客理解

Buyer Persona Development Masterclass（顧客のペルソナ育成マスタークラス）（英語のみ）。トニー・ザンビートとのトレーニング

アデル・リヴェラ、２０１５年、『*Buyer Personas: How to Gain Insight Into your Customer's Expectations, Align your Marketing Strategies, and Win More Business*（購入者のペルソナ：顧客の期待値に関するインサイトを抽出し、マーケティング戦略を連携して、より多くのビジネスで成功を収める方法）（未邦訳）』、ワイリー（ニューヨーク）

バイヤーエンゲージメントコンテンツ

アーダス・アルビー、２０１５年、『*Digital Relevance: Developing Marketing Content and Strategies That Drive Results*（デジタルの関連性：優れた成果を生むマーケティングコンテンツと戦略を開発する）（未邦訳）』、スプリンガー（ニューヨーク）

営業サポートコンテンツ

アリソン・ロゼット、２００６年、『*Job Aids and Performance Support: Moving From Knowledge in the Classroom to Knowledge Everywhere*（ジョブエイドとパフォーマンスサポート：教室での知識をあらゆる場所の知識に移行する）（未邦訳）』、ファイファー（ニューヨーク）

営業の採用

マイク・カンクル、「Hire Sales Pros That Deliver Results（優れた結果を達成する営業のプロを採用する）（英語のみ）」、SPARXiQ eブック、sparxiq.com/ebook-hire-sales-pros-who-deliver-results

SPARXiQ TalentGPS Sales Hiring Assessment（営業の採用評価）（英語のみ）、sparxiq.com/talentgps

ダグ・ワイアット、「5 Steps to More Effective Sales Hiring（より効果的な営業の採用を実施するための5つのステップ）（英語のみ）」、SPARXiQ フィールドガイド、sparxiq.com/sales-hiring-traits-field-guide

ダグ・ワイアット、「Look for These Traits in Your Next Salesperson（次に採用する営業パーソンにおいて探すべき特徴）（英語のみ）」、SPARXiQ フィールドガイド、sparxiq.com/sales-hiring-traits-field-guide

営業トレーニング

マイク・カンクル、「Sales Training That Sticks（身につく営業トレーニング）（英語のみ）」、SPARXiQ eブック、sparxiq.com/ebook-sales-training-that-sticks

マイク・カンクル、ジェイク・ミラー、「5 Stages to Ensure Your Training Sticks（トレーニング内容を身につけるための５段階）（英語のみ）」、SPARXiQインフォグラフィック、sparxiq.com/infographic-a-5-stage-process-to-ensure-your-sales-training-sticks

ジャック・J・フィリップス、パトリシア・プリアム・フィリップス、レイチェル・ロビンソン、２０１３年、『*Measuring the Success of Sales Training*（営業トレーニングの成果を測定する）（未邦訳）』、ＡＴＤプレス（ヴァージニア州アレクサンドリア）

営業コーチング

ファーディナンド・F・フーニーズ、２００７年、『*Why Employees Don't Do What They're Sup-*

posed to Do and What to Do About It（従業員がやるべきことをやらない理由と対処法）（未邦訳）』、マグロウヒル・エデュケーション（ニューヨーク）

マイク・カンクル、「Sales Coaching Excellence（営業コーチングのメリット）（英語のみ）」、SPARXiQ eブック、sparxiq.com/sales-coaching-excellence

営業プロセス

アンソニー・イアンナリーノ、２０１７年、『*The Lost Art of Closing: Winning the Ten Commitments That Drive Sales*（失われたクロージングの技術：販売につながる10のコミットメントを獲得する方法）（未邦訳）』、ポートフォリオ／ペンギン（ニューヨーク）

ケヴィン・ジョーンズ、スティーヴ・ギールダ、２０１２年、『*Premeditated Selling: Tools for Developing the Right Strategy for Every Opportunity*（計画的営業：あらゆる商談に適した戦略を作成するためのツール）（未邦訳）』、ＡＴＤプレス（ヴァージニア州、アレクサンドリア）

デイヴ・カーラン、２００５年、『*Baseline Selling: How to Become a Sales Superstar by Using What*

You Already Know about the Game of Baseball（ベースライン営業：誰もが知っている野球のルールを適用して営業のスーパースターになる方法）（未邦訳）』

ジェフ・トゥル、２０１０年、『*Mastering the Complex Sale: How to Compete and Win When the Stakes are High!*（複雑な営業に熟達する：競合他社と競い、リスクの大きな商談を勝ち取る方法）（未邦訳）』、ワイリー（ニューヨーク）

営業メソッド

マイク・カンクル、デイヴ・ワイアット、２０２０年、「Shift to Buyer-Centric Selling（顧客中心型営業への移行）（英語のみ）」、SPARXiQ早見表、11月３日、sparxiq.com/infographic-msf-buyer-centric-selling-cheat-sheet

マイク・カンクル、デイヴ・ワイアット、２０２１年、「Buyer-Centric Discovery（顧客中心型の案件発掘）（英語のみ）」、SPARXiQ早見表、３月２日、sparxiq.com/infographic-buyer-centric-discovery-cheat-sheet/

「Modern Sales Foundation（モダン・セールス・ファウンデーション）（英語のみ）」、営業メソッドとトレーニングコース、modernsalesfoundations.com

デイヴ・ワイアット、2021年、「Effectively Communicate Four Types of Value to Your Buyer（4種類の価値を効果的に顧客に伝える）（英語のみ）」、SPARXiQ フィールドガイド、2月4日、sparxiq.com/four-types-of-value-field-guide

営業分析と指標

ジェニー・ディアボーン、2015年、『*Data Driven: How Performance Analytics Delivers Extraordinary Sales Results*（データ志向：驚くべき営業成果を実現するパフォーマンス分析）（未邦訳）』、ジョン・ワイリー（ニュージャージー州ホーボーケン）

ジェニー・ディアボーン、2018年、『*The Data Driven Leader: A Powerful Approach to Delivering Measurable Business Impact Through People Analytics*（データ志向のリーダー：ピープルアナリティクスを通じて測定可能なビジネスへの影響を提供する強力なアプローチ）（未邦訳）』、ジョン・ワイリー（ニュージャージー州ホーボーケン）

アンドリス・A・ゾルトナース、プラバカント・シンハ、サリー・ロリマー、２０１５年、『*The Power of Sales Analytics*（営業分析の力）（未邦訳）』、ＺＳアソシエーツ（イリノイ州エバンストン）

セールステックとツール

「Nancy Nardin Smart Selling Tools（ナンシー・ナディーン・スマート・セリング・ツール）（英語のみ）」、リソース／サービスウェブサイト、smartsellingtools.com（２０２１年にサービス提供終了）

「Vendor Neutral（ベンダー・ニュートラル）（英語のみ）」、リソース／サービスウェブサイト、vendorneutral.com

営業報酬

デイヴィッド・チチェリ、２０１８年、『*Compensating the Sales Force, Third Edition: A Practical Guide to Designing Winning Sales Reward Programs*（営業チームの報酬　第3版：成功する営業報酬プログラム設計のための実用ガイド）（未邦訳）』、マグロウヒル（ニューヨーク）

マーク・ドノロ、２０１９年、『*Quotas! Design Thinking to Solve Your Biggest Sales Challenge*（予

算！　最大の営業課題を解決するデザイン思考）（未邦訳）』、ＡＭＡＣＯＭ（ニューヨーク）

アンドリス・Ａ・ゾルトナース、プラバカント・シンハ、サリー・ロリマー、２００６年、『*The Complete Guide to Sales Force Incentive Compensation: How to Design and Implement Plans That Work*（営業チームのインセンティブ報酬に関する完全ガイド：機能するプランを設計、導入する方法）（未邦訳）』、ＡＭＡＣＯＭ（ニューヨーク）

アンドリス・Ａ・ゾルトナース、プラバカント・シンハ、チャド・アルブレヒト、サリー・ロリマー、２０１７年、『*Sales Compensation Solutions: Addressing the Toughest Sales Incentive Issues in Today's Changing World*（営業の報酬ソリューション：変わり続ける現代社会で最も困難な営業インセンティブの問題を解決する）（未邦訳）』、ＺＳアソシエーツ（イリノイ州エバンストン）

営業マネージャーイネーブルメント

２０１６年、『*Sales Manager Survival Guide: Lessons from Sales' Front Lines*（営業マネージャーのサバイバルガイド：営業の前線から学ぶ）（未邦訳）』、ＫＣＤプレス

ケヴィン・F・デイヴィス、２０１７年、『*The Sales Manager's Guide to Greatness: 10 Essential Strategies for Leading Your Team to the Top*（営業マネージャーの成功ガイド：チームの成功を実現する10の重要戦略）（未邦訳）』、グリーンリーフ・ブック・グループ・プレス（テキサス州オースティン）

メリッサ・A・ヒルバート、セオドア・トラヴィス、ジュリアン・プールター、２０１８年、「Magic Quadrant for Sales Performance Management（セールスパフォーマンスマネジメントのマジック・クアドラント）（英語のみ）」、ガートナー、1月15日、gartner/com/en/documents/3845264

セオドア・トラヴィス、メリッサ・A・ヒルバート、２０１８年、「Critical Capabilities for Sales Performance Management（営業パフォーマンス管理の重要な機能）（英語のみ）」、ガートナー、１月17日、gartner.com/en/documents/3846169

マーク・ワインバーグ、２０１５年、『*Sales Management. Simplified*（シンプルな営業マネジメント）（未邦訳）』、AMACOM（ニューヨーク）

アンドリス・A・ゾルトナース、プラバカント・シンハ、サリー・ロリマー、２０１２年、『*Building*

a *Winning Sales Management Team: The Force Behind the Sales Force*（成功を実現する営業マネジメントチームを構築する：営業チームを支える力）（未邦訳）』、ZSアソシエーツ（イリノイ州エバンストン）

コミュニケーション管理

「Information Mapping: Methodology（情報マッピングの手法）（英語のみ）」、ウェブサイト、informationmapping.com/pages/information-mapping-method

営業サポートサービス

「Books and E-Books by Naomi（ナオミによる書籍とｅブック）（英語のみ）」、ナオミ・カーテンのウェブサイト、nkarten.com/book2.html#HOW

「Internal Service Level Agreement（社内サービス内容合意書）（英語のみ）」、アップカウンセルのウェブサイト、upcounsel.com/internal-service-level-agreement

ナオミ・カーテン、１９９４年、『*Managing Expectations*（期待値の管理）（未邦訳）』、ドーセット・

ハウス・パブリッシング（ニューヨーク）

ナオミ・カーテン、2002年、『*Communication Gaps and How to Close Them*（コミュニケーションギャップとそれを埋める方法）（未邦訳）』、ドーセット・ハウス・パブリッシング（ニューヨーク）

ナオミ・カーテン、2009年、『*Changing How You Manage and Communicate Change*（変化を管理し伝える方法を変える）（未邦訳）』、ITガバナンス・パブリッシング（イギリス、ケンブリッジシャー）

ナオミ・カーテン、2010年、『*Presentation Skills for Technical Professionals*（テクニカルプロフェッショナルのプレゼンテーションスキル）（未邦訳）』、ITガバナンス・パブリッシング（イギリス、ケンブリッジシャー）

開始する方法と憲章

「Getting Started in Sales Enablement（セールスイネーブルメントを開始する）（英語のみ）」、ATDデジタルブックレット、learnmore.td.org/getting-started-in-sales-enablement-guidebook

営業のオンボーディング

コリー・ブレイ、ヒルモン・ソーリー、２０１９年、『*Hiring, Onboarding, and Ramping Salespeople: The T.E.A.M. Framework*（営業パーソンの採用、オンボーディング、準備：TEAMフレームワーク）（未邦訳）』

ジュディス・ヘイル、２０１１年、『*Performance-Based Certification: How to Design a Valid, Defensible, Cost-Effective Program*（パフォーマンスベースの認定：コスト効率性が高く正当性のある有効なプログラムの設計方法）（未邦訳）』、ファイファー（ニュージャージー州ホーボーケン）

マイク・カンクル、２０１８年、「Sales Onboarding with Mike（マイクとの営業オンボーディング）（英語のみ）」、ＡＴＤセル２０１９のスライドプレゼンテーション、sparxiq.com/event/sales-onboarding-atd-sell-2019

マイク・カンクル、２０２１年、「Why Your Sales Hires Aren't Ramping Up Sooner（営業の新入社員が迅速に成長しない理由）（英語のみ）」、SPARXiQ、1月21日、sparxiq.com/why-sales-hires-arent-ramping-up-sooner

ＨＰＴとパフォーマンスコンサルティング

ATD Master Performance Consultant Program（ATD マスター・パフォーマンス・コンサルタント・プログラム）（英語のみ）、ATD 認定プログラム、td.org/education-courses/atd-master-performance-consultant

ジェームズ・Ａ・パーシング、２００６年、『*Handbook of Human Performance Technology*（ヒューマンパフォーマンス科学ハンドブック）（未邦訳）』、ファイファー（ニューヨーク）

デイナ・ゲイン・ロビンソン、ジェームス・Ｃ・ロビンソン、ジャック・Ｊ・フィリップス、パトリシア・プリアム・フィリップス、ディック・ハンドショー、『*Performance Consulting: A Strategic Process to Improve, Measure, and Sustain Organizational Results*（パフォーマンスコンサルティング：組織の成果を改善、測定、維持する戦略的プロセス）（未邦訳）』、ベレットコーラー（オークランド）

ウィリアム・Ｊ・ロスウェル、２０１３年、『*Performance Consulting: Applying Performance Improvement in Human Resource Development*（パフォーマンスコンサルティング：人事部門でパフォーマンス改善を適用する）（未邦訳）』、ワイリー（ニューヨーク）

ゲリー・A・ラムラー、2007年、『*Serious Performance Consulting*（本気のパフォーマンスコンサルティング）（未邦訳）』、ファイファー（ニューヨーク）

ゲリー・A・ラムラー、アラン・P・ブレーシュ、2012年、『業績改善の技法─部門と部門を効果的に結ぶ3レベル分析』、ジョシーバス（サンフランシスコ）。邦訳は高橋りう司訳、1993年、ダイヤモンド社

ゲリー・A・ラムラー、アラン・P・ブレーシュ、リチャード・A・ラムラー、2009年、『*White Space Revisited: Creating Value Through Process*（ホワイトスペース再訪：プロセスを通じて価値を生成する）（未邦訳）』、ファイファー（ニューヨーク）

ハロルド・D・ストロヴィッチ、エリカ・J・キープス、2004年、『*Training Ain't Performance*（トレーニングはパフォーマンスじゃない）（未邦訳）』、ATDプレス（ヴァージニア州アレクサンドリア）

アンドリス・A・ゾルトナース、プラバカント・シンハ、グレガー・ソルトナース、2001年、『*The*

Complete Guide to Accelerating Sales Force Performance（営業チームのパフォーマンスを加速するための完全ガイド）（未邦訳）』、AMACOM（ニューヨーク）

その他のセールスイネーブルメントリソース

コリー・ブレイ、ヒルモン・ソーリー、２０１７年、『*The Sales Enablement Playbook*（セールスイネーブルメントプレイブック）（未邦訳）』

「Certification Through Sales Enablement PRO（セールスイネーブルメントPRO認定）（英語のみ）」、セールスイネーブルメントPROウェブサイト、salesenablement.pro/certification

イーライ・コーエン、２０１９年、『*Enablement Mastery*（イネーブルメントの熟達）（未邦訳）』、グリーンリーフ・ブック・グループ・プレス（オースティン）

パム・ディドナー、２０１８年、『*Effective Sales Enablement*（効果的なセールスイネーブルメント）（未邦訳）』、コーガンペイジ（ニューヨーク）

ロデリック・ジェファーソン、２０２１年、『*Sales Enablement 3.0: The Blueprint to Sales Enablement*（セールスイネーブルメント3.0:セールスイネーブルメント実現計画）（未邦訳）』、ロデリック・ジェファーソン・アンド・アソシエーツ

T・メリッサ・マディアン、２０２０年、『*Enabler? I Hardly Know Her!: How to Make the Sales Experience Not Suck*（イネーブラーなんて知らない：優れた営業エクスペリエンスを構築する方法）（未邦訳）』

バイロン・マシューズ、タマラ・シェンク、『営業力を強化する世界最新のプラットフォーム　セールス・イネーブルメント』、ワイリー（ニューヨーク）。邦訳は富士ゼロックス総合教育研究所監修・監訳、２０１９年、ユナイテッド・ブックス（きこ書房）

「Sales Enablement Certificate（セールスイネーブルメント認定）（英語のみ）」、ＡＴＤ認定プログラム、td.org/education-courses/sales-enablement-certificate

レザ・シサクティ、２０１５年、『*Success in Selling*（営業の成功）（未邦訳）』、ＡＴＤプレス（ヴァー

ジニア州アレクサンドリア）

マイク・カンクルによるその他のコンテンツ

マイク・カンクルによるＡＴＤブログ投稿とその他のコンテンツ（英語のみ）、td.org/user/content/MikeKunkle

マイク・カンクルによるリンクトインの記事（英語のみ）、bit.ly/MK-LinkedInArticles

マイク・カンクルとのSales Effectiveness Straight Talk（営業の有効性ストレートトーク）ウェビナー（英語のみ）、smmconnect.com/info/250

SPARXiQブログ（英語のみ）、sparxiq.com/tag/mike-kunkle

Transforming Sales Results（営業の成果を変革する）ブログ（英語のみ）、mikekunkle.com/blog

原著者について

マイク・カンクルは高い支持を集める営業変革アーキテクトで、営業トレーニング、営業の有効性、セールスイネーブルメントにおける国際的な専門家である。Transforming Sales Results 社の創設者であるとともに、ＳＰＡＲＸｉＱ社では営業の有効性サービスのバイスプレジデントを務め、顧客への助言提供、オピニオンリーダーとしての意見公開、カンファレンスでのスピーチ、ウェビナーの主導、営業トレーニングコースの設計、ワークショップの開催、高い成果を上げるセールスイネーブルメントシステムの設計と導入を実施している。

36年間営業職に携わり、そのうちの26年は企業リーダーまたはコンサルタントとして、優れたトレーニング戦略、効果が実証された営業変革手法や営業システムを通じた企業の劇的な収益向上をサポートしてきた。とある企業では6つのプロジェクトを実施し、前年比から３９８百万ドルの収益増加を達成。

ダグ・ワイアットとの協業でSPARX·iQの「モダン・セールス・ファウンデーション」トレーニングのカリキュラムを開発し、「セールス・コーチング・エクセレンス」コースの執筆も手がけた。

作家としては本書がデビュー作になる。

監修者あとがき

セールスイネーブルメント、レベニューイネーブルメント、バイヤーイネーブルメント……と、×××イネーブルメントという表現が最近よく聞かれるようになってきました。しかし、全てを正しく理解できている人はいないのではないでしょうか。

この本をお読みいただいた今であれば、なんとなく想像がつくかと思いますが、バイヤーイネーブルメントは通常セールスイネーブルメントに内包され、レベニューイネーブルメントはセールスイネーブルメントを内包する更に広い概念になってくると考えられます。ですので、一旦はセールスイネーブルメントから手をつけて、成熟度が上がったら他のことについて考えるという整理がいいのかと思います。

身も蓋もないですが、セールスイネーブルメントのゴールは「売上を上げる」こと、及び効率を上げて「コストを下げる」ことにあります。セールスイネーブルメントを考えなくとも、それらが達成できればセールスイネーブルメントは不要なのです。

例えば、セールスイネーブルメントに以前より取り組んでいるわけではないのにもかかわらず、リクルートやキーエンスなどの会社では営業が強いと言われ、高い生産性が実現できています。もちろんそれらを実現するトレーニングを中心とした一部は本書のブロックで説明できる内容がありながらも、その強さの説明には必ず「カルチャー」という言葉が出てきます。こうした一部の企業は強いカルチャーから営業の生産性が上がるエコシステムを社内で作るための行動が当たり前のように取られていますが、ほとんどの会社ではその「カルチャー」がないため、実現できないというのが社会問題です。それは米国を含んだ海外でも同じで、多くの会社では「カルチャー」がないために営業変革を実行しないといけない状態にあるからこそ、「セールスイネーブルメント」の概念が発展してきているのです。

本書では、Mikeが長年の経験を通じてフレームワークを整理しています。しかし、複雑な課題に取り組んでいるため、一部に難解な表現や箇所があります。また、情報量が膨大で、取り組み始める点が分かりにくいと感じる方もいるかもしれません。それでも、本書を既にお読みいただいた方々からは、セールスイネーブルメントの定義を再認識し、その憲章作成から実行に移すという具体的なアクションへの意欲を聞かせていただきました。何十年も変化のない営業組織や低い生産性が問題視される日本の状況を打破するため、このアクションを皆さんに取り組んでいただければ幸いです。

社会的なレベルを上げるために、私たちはセールスイネーブルメントのコミュニティ「Next Enablers」を立ち上げました。日本と海外ではセールスイネーブルメントに関する知識や実際に取り組んでいる組織も人もまだまだ少ないのが現状です。そのような中で先進的に取り組んでいる方々の情報交換の場となり、海外とのギャップを埋め、私たちの子供達の世代では「日本が一番セールスイネーブルメントが進んでいる」というような未来を作っていければと思っています。

このような取り組みも含め、セールスイネーブルメントという変革に全力を尽くすという宣言とともに、このあとがきを締めくくらせていただきます。

セールスイネーブルメントコミュニティ「Next Enablers」

Next Enablersは、変化を推進する志を持つ方々に、ビジネスの次なる飛躍を支えるセールスイネーブルメントの最新トレンドと成功戦略に焦点を当てるコミュニティ
QRコードからコミュニティに入会することができます。

〈訳・監修者紹介〉
amptalk株式会社
代表取締役　猪瀬竜馬（いのせ りょうま）
2010年に早稲田大学卒業後、日系製薬企業にて営業・マーケティングを経験。2017年より2年間ペンシルバニア州のヘルスケアカンパニーでProduct Marketing Managerとしてセールスイネーブルメントのミッションの下、全米500名の戦略の策定と、CSMツールを用いたデジタルトランスフォーメーションに従事。2018年スペインのie business schoolにてMBAを取得。国内外での営業・マーケティングのバックグラウンドが強み。国内におけるセールスイネーブルメントの課題を解決するために、2020年にamptalk株式会社を創業。

〈翻訳協力〉
山口真果（やまぐち まいか）
株式会社トランネット（www.trannet.co.jp）

The Building Blocks of Sales Enablement by Mike Kunkle

Published by arrangement with the Association for Talent Development, Alexandria, Virginia, USA, through Japan UNI Agency, Inc., Tokyo

THE BUILDING BLOCKS
ビルディングブロック式セールスイネーブルメント
営業パフォーマンスを劇的に変える実践的戦略

2024年2月1日 第1刷発行

原　作　マイク・カンクル
訳・監修　amptalk株式会社　猪瀬竜馬
発行人　久保田貴幸

発行元　株式会社 幻冬舎メディアコンサルティング
〒151-0051　東京都渋谷区千駄ヶ谷4-9-7
電話　03-5411-6440（編集）

発売元　株式会社 幻冬舎
〒151-0051　東京都渋谷区千駄ヶ谷4-9-7
電話　03-5411-6222（営業）

印刷・製本　中央精版印刷株式会社
装　丁　弓田和則

検印廃止

Printed in Japan
ISBN 978-4-344-94998-0 C0034
幻冬舎メディアコンサルティングＨＰ
https://www.gentosha-mc.com/